MEDIUNIDADE:
ESTUDO E PRÁTICA

PROGRAMA I

Organização
Marta Antunes Moura

MEDIUNIDADE: ESTUDO E PRÁTICA

PROGRAMA I

Copyright © 2014 *by*
FEDERAÇÃO ESPÍRITA BRASILEIRA – FEB

2ª edição – 18ª impressão – 4,3 mil exemplares – 10/2024

ISBN 978-85-7328-959-6

Todos os direitos reservados. Nenhuma parte desta publicação pode ser reproduzida, armazenada ou transmitida, total ou parcialmente, por quaisquer métodos ou processos, sem autorização do detentor do *copyright*.

FEDERAÇÃO ESPÍRITA BRASILEIRA – FEB
SGAN 603 – Conjunto F – Avenida L2 Norte
70830-106 – Brasília (DF) – Brasil
www.febeditora.com.br
editorial@febnet.org.br
+55 61 2101 6161

Pedidos de livros à FEB
Comercial
Tel.: (61) 2101 6161 – comercial@febnet.org.br

Adquirindo esta obra, você está colaborando com as ações de assistência e promoção social da FEB e com o Movimento Espírita na divulgação do Evangelho de Jesus à luz do Espiritismo.

Dados Internacionais de Catalogação na Publicação (CIP)
(Federação Espírita Brasileira – Biblioteca de Obras Raras)

M929m   Moura, Marta Antunes de Oliveira de (Org.), 1946–

         Mediunidade: estudo e prática. Programa 1. / Marta Antunes de Oliveira de Moura (organizadora). – 2. ed. – 18. imp. – Brasília: FEB, 2024.

         V.1; 272 p.; 25 cm

         Inclui referências

         ISBN 978-85-7328-959-6

         1. Espiritismo. 2. Estudo e ensino. 3. Educação. I. Federação Espírita Brasileira.

                                                       CDD 133.9
                                                       CDU 133.7
                                                       CDE 60.03.00

SUMÁRIO

Apresentação 9
Agradecimentos 11
Sugestões de como realizar o curso 13

MÓDULO I
Fundamentos ao estudo da mediunidade

TEMA 1– Evolução histórica da mediunidade 19
Atividade prática 1 – Buscai e achareis............................... 24

TEMA 2 – Mediunidade, metapsíquica e parapsicologia 27
Atividade prática 2 – A prece do publicano e do fariseu............... 31

TEMA 3 – O método kardequiano de comprovação mediúnica 35
Atividade prática 3 – A prece nas aflições da vida...................... 40

TEMA 4 – Espírito, matéria e fluidos 43
Atividade prática 4 – O dom de curar pela prece...................... 48

TEMA 5 – Perispírito e princípio vital 51
Atividade prática 5 – A oração Pai-nosso............................. 55

TEMA 6 – A prece segundo o Espiritismo.
A prece na reunião mediúnica 59
Atividade prática 6 – A oração Pai-nosso............................. 67

TEMA 7 – Classificação da mediunidade: efeitos físicos 71
Atividade prática 7 – A gratuidade da prática mediúnica 75

TEMA 8 – Classificação da mediunidade: efeitos inteligentes .. 79
*Atividade prática 8 – Aplicação do passe entre encarnados;
a qualidade essencial... 85*

TEMA 9 – O passe espírita.. 89
Atividade prática 9 – Qualidades do aplicador de passe desencarnado 96

TEMA 10 – A emancipação da alma 99
Atividade prática 10 – Exercício de aplicação de passe 106

Atividades complementares do módulo (optativas) 109
Curso de passe.. 109
Clube de leitura... 111

MÓDULO II
As bases da comunicação mediúnica

TEMA 1 – Eclosão da mediunidade 115
Atividade prática 1 – Prece e irradiação mental 120

TEMA 2 – Transes 123
Atividade prática 2 – Como fazer a irradiação mental.....................................127

TEMA 3 – Ação dos fluidos, do perispírito e da mente
na comunicação mediúnica 131
Atividade prática 3 – Exercício de irradiação mental......................................136

TEMA 4 – Laboratório do mundo invisível 139
Atividade prática 4 – Exercício de irradiação mental associado à prece........143

TEMA 5 – As reuniões mediúnicas sérias:
natureza e características 145
Atividade prática 5 – Exercício de mentalização silenciosa............................150

TEMA 6 – Influência moral dos médiuns nas comunicações
dos Espíritos 153
Atividade prática 6 – Exercício de livre mentalização.....................................157

TEMA 7 – Educação da faculdade mediúnica 159
Atividade prática 7 – Irradiação mental e ideoplastias....................................164

Atividades complementares do módulo (optativas)................ 167
Seminário: Médiuns obsidiados 167

MÓDULO III
Mediunidade. Obsessão. Desobsessão

TEMA 1 – Ação dos espíritos no plano físico 171
Atividade prática 1 – Como trabalhar a harmonização psíquica.....................177

TEMA 2 – Obsessão: causas, graus e tipos 181
Atividade prática 2 – Exercício de autoconhecimento: quem sou eu?..........187

TEMA 3 – O obsessor e o obsidiado 189
Atividade prática 3 – O autoconhecimento segundo Santo Agostinho 193

TEMA 4 – O processo obsessivo.. 197
Atividade prática 4 – Roteiro para o autoconhecimento 202

TEMA 5 – Desobsessão: recursos espíritas........................... 205
Atividade prática 5 – Harmonização psíquica e irradiação mental.....................213

TEMA 6 – A prática da caridade como ação desobsessiva...... 215
Atividade prática 6 – Sinta a minha dificuldade!..220

Atividades complementares do módulo (optativas)................. 223
Seminário: Mediunidade e obsessão em crianças...223

MÓDULO IV
A vida no plano espiritual

TEMA 1 – A desencarnação.. 227
Atividade prática 1 – Harmonização e percepção espirituais (1)......................233

TEMA 2 – Os espíritos errantes.. 237
Atividade prática 2 – Harmonização e percepção espirituais (2)......................243

TEMA 3 – As comunidades do plano extrafísico...................... 245
Atividade prática 3 – Percepção espiritual –
A diversidade dos seres humanos..251

TEMA 4 – Exemplos de comunidades espirituais (1) 253
Atividade prática 4 – Percepção espiritual –
Identificando emoções e sentimentos..258

TEMA 5 – Exemplos de comunidades espirituais (2) 261
Atividade prática 5 – Percepção espiritual –
Ouvindo os sons da natureza..265

Atividades complementares do módulo (optativas)................. 267
Seminário: A morte e o morrer..267
Clube de leitura..269

APRESENTAÇÃO

Este livro resulta do somatório de esforços de coordenadores e mediadores da aprendizagem na área da mediunidade, cujos representantes reuniram-se na Federação Espírita Brasileira, Brasília/DF, em outubro de 2012, para avaliar proposta de revisão dos conteúdos doutrinários espíritas que, desde 1998, vinham sendo utilizados para a formação do trabalhador da mediunidade, a fim de adequá-los às atuais demandas do Movimento Espírita.

Na referida reunião, alguns pontos foram definidos como prioritários para a construção deste novo curso, que passou a ser denominado *Mediunidade: Estudo e prática*. Destacamos os que se seguem.

1º O curso de mediunidade permanece constituído de dois programas de estudo, porém mais compactados, com textos mais objetivos. O Programa I destina-se à formação do trabalhador espírita em geral, independentemente da pessoa possuir mediunidade ativa ou pretender integrar-se ao grupo mediúnico, no futuro. O Programa II focaliza aspectos fundamentais relacionados à prática mediúnica, propriamente dita, usual na Casa Espírita.

2º Os conteúdos doutrinários do curso estão firmemente assentados nos princípios da Doutrina Espírita, codificada por Allan Kardec, e nos valores morais do Evangelho de Jesus.

3º O período destinado à duração do curso foi substancialmente reduzido. Os conteúdos dos dois programas podem ser realizados em um ano (sete meses para o primeiro programa e cinco meses para o segundo), excluindo-se as atividades complementares do módulo que, com efeito, são optativas e são destinadas a todos os trabalhadores da instituição espírita. Contudo, a duração do curso pode se estender por um ano e meio, ou três semestres letivos, se o estudo for suspenso durante os feriados e ocorrerem recessos.

4º *Mediunidade: Estudo e prática* está aberto aos jovens e demais adultos de todas as faixas etárias, desde que possuam conhecimento básico do Espiritismo.

5º Os encontros semanais do curso abrangem até duas horas de duração, assim distribuídas: Programa I — temas teóricos desenvolvidos em 1 h 20 min ou 1 h 30 min; parte prática em 20 ou 30 min. Programa II — Temas teóricos: 30 ou 40 min; prática mediúnica: 1 h 20 min ou 1 h 30 min.

Importa destacar que os conteúdos doutrinários do curso foram testados e avaliados em conjunto pela coordenação nacional da mediunidade, pelos seus dois assessores nacionais e pelos dois coordenadores e assessores de cada região espírita do país, localizada nas quatro regionais do Movimento Espírita Federativo (Nordeste, Centro, Sul e Norte).

A testagem e a avaliação dos conteúdos de ambos os programas constituíram um plano de ação denominado *Projeto Piloto*, focado no objetivo de construir coletivamente os textos destinados ao curso *Mediunidade: Estudo e prática*.

Cerca de 26 casas espíritas, incluindo o campo experimental da FEB e de algumas federativas estaduais, se dispuseram a integrar o Projeto Piloto, aplicando o material em centros espíritas da capital e/ou do interior do Estado, em casas espíritas maiores ou outras menores, localizadas na periferia de grandes agrupamentos urbanos.

Trata-se de uma iniciativa inovadora que, a despeito das canseiras naturais, traz aos espíritas envolvidos na tarefa a certeza de que o esforço foi válido, ainda que pese as disciplinas e sacrifícios impostos na elaboração do trabalho, cujo mérito não cabe a uma pessoa ou a uma instituição, mas a todos os trabalhadores de boa vontade que, unidos em torno de um ideal, elaboraram os dois programas do curso *Mediunidade: Estudo e prática*.

AGRADECIMENTOS

A organização do curso *Mediunidade: Estudo e prática* contou com importantes contribuições, espontâneas ou solicitadas, de trabalhadores espíritas, radicados no Brasil ou fora do país. A eles endereçamos o nosso sincero "muito obrigado".

Gostaríamos, contudo, de deixar registrado um especial agradecimento à equipe que abraçou de frente, e de forma incansável, a tarefa de colaborar na elaboração de temas teóricos e práticos; na revisão e atualização de conteúdos doutrinários, bibliográficos e gramaticais; na análise de sugestões relacionadas à formatação dos textos, definição de critérios de avaliação e de tabulação de dados.

- Integrantes desta equipe, no campo experimental da FEB, são: Edna Maria Fabro, Fátima Guimarães, Cylene Dalva Guida, Nilva Polônio Medeiros Craveiro, Regina Capute, Terezinha de Jesus Lima Bezerra e Túlia Maria Benites.
- Assessores nacionais da área da mediunidade: Esther Fregossi González e Jacobson Sant'Anna Trovão.
- Coordenadores regionais da mediunidade: Sandra Farias de Moraes (Regional Norte); Cristina Pires (Regional Nordeste); Jacobson S. Trovão (Regional Centro) e Esther Fregossi (Regional Sul).
- Assessores regionais da mediunidade: Anna Thereza Bezerra e Olga Lucia S. Maia (Nordeste); Maria Lúcia R. Faria e Ruth Salgado Guimarães (Centro); Daírson Gonçalves (Sul), Herculis F. Romano e Wolmar Buffi (Norte);

Somos igualmente gratos aos dirigentes das federativas, aos coordenadores da mediunidade das casas espíritas envolvidas no Projeto Piloto que, desde o primeiro momento, apoiaram a testagem e a avaliação dos temas teóricos e práticos do curso *Mediunidade: Estudo e prática*.

Acima de tudo, endereçamos nossa eterna e permanente gratidão a Deus, nosso Pai e Criador, a Jesus nosso Mestre e Orientador, assim como aos benfeitores espirituais, amigos sempre presentes que, pelas vias da intuição, da mediunidade direta ou nos momentos da emancipação da alma, nos apresentaram preciosos conselhos e seguras orientações.

Brasília (DF), 1º de novembro de 2013.
Marta Antunes de Oliveira de Moura
Organizadora do Curso *Mediunidade: Estudo e prática*

SUGESTÕES DE COMO REALIZAR O CURSO

Sabemos que os Espíritos exercem contínua ação no plano físico, manifestada de forma fugaz ou duradoura, boa ou má, sutil ou bem caracterizada, que "[...] se traduz por efeitos patentes, de certa intensidade [...]",[1] como afirma Allan Kardec.

A comunicação entre os dois planos da vida é viabilizada por meio de duas faculdades inerentes ao psiquismo humano: a mediúnica e a anímica. Ambas decorrem da natural capacidade pensante do ser humano e dos processos de sintonia mental, assim assinalados por Emmanuel: "O homem permanece envolto em largo oceano de pensamentos, nutrindo-se de substância mental, em grande proporção. Toda criatura absorve, sem perceber, a influência alheia nos recursos imponderáveis que lhe equilibram a existência".[2] Completando as suas ideias, o benfeitor espiritual acrescenta:

> A mente, em qualquer plano, emite e recebe, dá e recolhe, renovando-se constantemente para o alto destino que lhe compete atingir. Estamos assimilando correntes mentais, de maneira permanente. De modo imperceptível, "ingerimos pensamentos", a cada instante, projetando, em torno de nossa individualidade, as forças que acalentamos em nós mesmos. [...] Somos afetados pelas vibrações de paisagens, pessoas e coisas que cercam. Se nos confiamos às impressões alheias de enfermidade e amargura, apressadamente se nos altera o "tônus mental", inclinando-nos à franca receptividade de moléstias indefiníveis. Se nos devotamos ao convívio com pessoas operosas e dinâmicas, encontramos valioso sustentáculo aos nossos propósitos de trabalho e realização. [...][3] (aspas no original).

Ante tais considerações, revela-se como de fundamental importância a construção de um curso direcionado não só à formação específica do trabalhador da mediunidade, mas para do espírita, em geral, ainda que este não seja portador de mediunidade ativa, ou que revele interesse/aptidão para fazer parte de um grupo mediúnico. Assim, uma das finalidades do curso *Mediunidade: Estudo e prática* é, justamente, apresentar esclarecimentos

---
1   KARDEC, Allan. *O livro dos médiuns*. Segunda parte, cap. XIV, it. 159, 2013.
2   XAVIER, Francisco Cândido. *Roteiro*. Cap. 26, p. 109, 2012.
3   Id. Ibid., p. 109-111.

espíritas capazes de orientar o indivíduo a identificar e saber lidar com as ações incessantes do desencarnados, aprendendo absorver as boas influências e neutralizar as más.

Contudo, para que um curso de mediunidade obtenha bons resultados e para que seja considerado confiável precisa, necessariamente, estar fundamentado nas obras codificadas por Allan Kardec, e nas de autores sintonizados com estas, assim como no Evangelho de Jesus, que define padrões morais para o comportamento humano. São princípios que, em sã consciência, nenhum espírita deve abrir mão deles.

Outro aspecto, não menos importante, diz respeito ao ambiente da aprendizagem e o espaço da interação sociocultural existente na Casa Espírita: este precisa ser cuidadosamente considerado. O local onde se realiza os encontros semanais de estudo e prática espírita deve ser acolhedor, por excelência, mesmo que as condições ambientais sejam simples e sem muitos recursos materiais. O mais importante é a pessoa se sentir bem-vinda, respeitada, aceita.

Nunca é demais lembrar que o ambiente do centro espírita é e sempre será o produto de uma construção social que reflete, de forma inequívoca, a aceitação da comunicabilidade dos Espíritos e a sua atuação junto aos que se encontram vivendo experiências reencarnatórias. Assim, a organização das atividades educativas do curso de *Mediunidade: Estudo e prática*, desenhadas para serem executadas no campo de atuação dos encarnados deve considerar o conhecimento espírita oriundo de fontes sérias e, igualmente, o conjunto de valores morais e éticos norteadores de normas, usos e condutas que extrapolam os estreitos limites de uma existência física.

Nesse processo, a socialização na casa espírita, ora focalizada no curso *Mediunidade: Estudo e prática,* deve acontecer em um espaço de convergências culturais, simplesmente denominado "espaço de convivência", favoráveis à identificação e ao aprimoramento dos ambientes de aprendizagem que respeitam as diferenças individuais e valorizam o ser humano.

Atentos a tais considerações, é ilusório supor que *Mediunidade: Estudo e prática* representa um compêndio completo de formação do trabalhador da mediunidade e do espírita em geral. Os temas teóricos e práticos aqui apresentados são simples roteiros básicos de estudo que devem, sim, ser ampliados e enriquecidos em sala de aula, mas, sobretudo, adaptados à realidade e às peculiaridades da região, do estado, da cidade e da casa espírita. Não se trata, em absoluto, de um material acabado, padrão para todos os espíritas. Ao contrário, a revisão e a atualização dos conteúdos devem ser continuadas, haja vista as determinações impostas pela vida em sociedade.

Em termos operacionais, é imprescindível que o curso conte com o apoio de uma equipe mínima de trabalhadores ou, conforme as condições do centro espírita, com alguém responsável pelo planejamento, preparação do ambiente e o desenvolvimento das atividades, atendendo-se ao multiculturalismo, que é a característica marcante do mundo atual.

Mediunidade: Estudo e prática está aberto aos jovens e demais adultos de todas as faixas etárias. É perfeitamente aceitável que um adolescente se matricule no curso, caso revele condições para participar das atividades programadas. Nada impede que ele esteja integrado em um grupo de estudo espírita para a juventude e, concomitante, faça parte do estudo da mediunidade. Ou, ainda, que opte por estudar em um dos dois cursos. Nesta situação, o que importa é avaliar cada caso.

A pessoa inscrita no Programa I do curso deve possuir conhecimento básico do Espiritismo, adquirido no estudo de obras básicas da Codificação, sobretudo *O livro dos espíritos*, nos encontros da juventude espírita ou do ESDE (Estudo Sistematizado da Doutrina Espírita), conteúdo programático básico. É desejável que os inscritos no Programa II conheçam *O livro dos médiuns*, que pode ser estudado em paralelo.

Os encontros semanais do curso de mediunidade são de até duas horas de duração e devem ser convenientemente aproveitados. Ambos os programas do curso apresentam uma parte teórica e uma parte prática, consideradas necessárias à obtenção de bons resultados. Como já foi dito na Apresentação, o estudo teórico do Programa I ocupa maior parte do tempo. É aconselhável evitar longas exposições teóricas, em geral cansativas e pouco produtivas. A parte prática deve ser desenvolvida em clima leve, descontraído, pois o objetivo é ampliar as sensações e percepções espirituais dos participantes de forma harmônica. No Programa II, porém, o tempo destinado ao conteúdo teórico é bem mais reduzido (entre 30 e 40 minutos), transmitido de forma objetiva, por meio de uma conversa fraterna, a fim de que a parte prática, que consiste na realização de uma reunião mediúnica, ocupe o maior espaço de tempo (1 h 20 min ou 1 h 30 min, aproximadamente).

A propósito, há instituições espíritas que, após o término do curso, concluído o Programa II, disponibilizam aos participantes um ou dois semestres destinados ao exercício prático da mediunidade, com o intuito de oferecer maior segurança ao médium iniciante. Por outro lado, há centros espíritas que encaminham alguns participantes ao grupo mediúnico por considerarem que eles revelam condições espirituais harmônicas e afinidade com a tarefa. Contudo, são decisões que somente à direção da Casa Espírita cabe discernir.

Consta no curso um item denominado *Atividades Complementares do Módulo*. São atividades facultativas que podem ou não ser desenvolvidas. Estão direcionadas a todos os trabalhadores espíritas, não só para os estudantes da mediunidade.

Em relação ao mediador da aprendizagem (também denominado professor, dinamizador, orientador ou monitor) do curso *Mediunidade: Estudo e prática*, sugere-se que seja alguém que já se encontre integrado na Casa Espírita e que participe, efetivamente, de um grupo mediúnico. Este dinamizador deve possuir boa base doutrinária espírita, ou que revele interesse em estudar os temas que irá transmitir aos inscritos do curso. Ao mesmo tempo, deve demonstrar conduta compatível com a seriedade do trabalho que abraçou como voluntário.

É sempre útil recordar que a aprendizagem, intelectual e moral, apresenta tríplice aspecto relacional: com os outros, com os conteúdos e consigo mesmo. São aspectos indissociáveis que, se bem articulados, conduzem ao sucesso um projeto educativo. Assim, as atitudes e comportamentos morais e éticos do dinamizador são cruciais ao bom andamento do trabalho e aos resultados daí decorrentes. O seu desempenho deve ser associado aos valores morais que assumem importância significativa quando se atua em uma sociedade multicultural. Dessa forma, cada tema estudado deve refletir não só o conteúdo espírita, propriamente dito, mas as consequências morais e éticas desse aprendizado.

Enfim, por apresentar peso significativo no processo da aprendizagem, o bom dinamizador sabe adequar conteúdos, tornar o assunto interessante e atrativo, é paciente com as dificuldades do próximo, dedicado à tarefa e sabe admitir as próprias limitações, sem constrangimentos, esforçando-se para superar as dificuldades. É, portanto, alguém que se posiciona como companheiro de jornada, que auxilia os seus alunos a aprender e a se transformar em pessoas de bem.

MEDIUNIDADE: ESTUDO E PRÁTICA

MÓDULO I
Fundamentos ao estudo da mediunidade

Mediunidade: Estudo e prática – Programa I
PLANO GERAL DO MÓDULO I
Fundamentos ao estudo da mediunidade

TEMAS TEÓRICOS	ATIVIDADES PRÁTICAS (Prece e passe)
1. Evolução histórica da mediunidade. (p. 19)	1. "Buscai e achareis". (p. 24)
2. Mediunidade, metapsíquica e parapsicologia. (p. 27)	2. A prece do publicano e do fariseu. (p. 31)
3. O método kardequiano de comprovação mediúnica. (p. 35)	3. A prece nas aflições da vida. (p. 40)
4. Espírito, matéria e fluidos. (p. 43)	4. O dom de curar pela prece. (p. 48)
5. Perispírito e princípio vital. (p. 51)	5. A oração Pai-nosso (1). (p. 55)
6. A prece segundo o espiritismo. A prece na reunião mediúnica. (p. 59)	6. A oração Pai-nosso (2). (p. 67)
7. Classificação da mediunidade: efeitos físicos. (p. 71)	7. A gratuidade da prática mediúnica. (p. 75)
8. Classificação da mediunidade: efeitos inteligentes. (p. 79)	8. Aplicação do passe entre encarnados: a qualidade essencial. (p. 85)
9. O passe espírita. (p. 89)	9. Qualidades ao aplicador do passe desencarnado. (p. 96)
10. A emancipação da alma. (p. 99)	10. Exercício de aplicação do passe. (p. 106)

ATIVIDADES COMPLEMENTARES DO MÓDULO (OPTATIVAS):

1. Curso de Passe. (p. 109)

2. Clube de Leitura. (p. 111)

PROGRAMA I – MÓDULO I – TEMA 1

EVOLUÇÃO HISTÓRICA DA MEDIUNIDADE

Como a mediunidade é faculdade inerente à espécie humana, a comunicação entre os dois planos da vida sempre foi conhecida, desde tempos imemoriais. Entretanto, teve de se submeter a um processo lento e gradual de evolução, cuja história acompanha a própria evolução do Espírito. Vemos, assim, que os primeiros habitantes do Planeta, chamavam *deus* a tudo o que apresentava qualquer característica sobrenatural, qualquer coisa que lhe escapava ao entendimento, tais como fenômenos da natureza e até habilidades percebidas em outro indivíduo que o distinguia dos demais. Em consequência, rendiam-lhes cultos e, por não possuir o senso moral e intelectual desenvolvido, os povos primitivos ofereciam aos *deuses* sacrifícios humanos e de animais, assim como oferendas dos frutos da terra.[4]

Tais cultos eram marcados por práticas anímicas e mágicas que perduraram por milênios. Envolviam forças espirituais consideradas misteriosas e incompreensíveis. Mas em obediência à lei do progresso, e pelo exercício do livre-arbítrio, o homem começou a entesourar conquistas nas sucessivas experiências reencarnatórias.

Perante tais condições, aprende a utilizar a energia espiritual da qual é dotado, extraindo elementos do fluido cósmico universal a fim de elaborar e aperfeiçoar seus mecanismos de expressão e de comunicação, entre si, e com os habitantes do mundo espiritual. Com este avanço, inicia-se o processo civilizatório, propriamente dito, que tem o poder de modificar a face do Planeta. Utilizando o mecanismo de cocriação em plano menor, como assinala o Espírito André Luiz, aprende a usar "[...] o mesmo princípio de comando mental com que as Inteligências maiores modelam as edificações macrocósmicas, que desafiam a passagem dos milênios."[5]

---

4   KARDEC, Allan. *O livro dos espíritos*. Q. 667 a 673, p. 299-302, 2013.
5   XAVIER, Francisco Cândido; VIEIRA, Waldo. *Evolução em dois mundos*. Primeira parte, it. Cocriação em plano menor, cap. 1, p. 23, 2013.

Na perspectiva da Doutrina Espírita, não é um simples produto das forças cegas da evolução, mas um cidadão do universo constrangido a transformar-se para melhor como determinam as Leis divinas.

Importa acrescentar que o processo evolutivo não foi, obviamente, executado exclusivamente pelo indivíduo. Sempre esteve secundado pelas Inteligências superiores, permitindo que o corpo espiritual (perispírito) se aperfeiçoasse também e, como resultado, produzisse um veículo físico apto a alçar voos mais altos. À medida que o Espírito evolui, aprende a refinar as ondas do pensamento, emitindo vibrações que atraem o pensamento e as ideias de Espíritos semelhantes, encarnados e desencarnados, por meio dos recursos da sintonia. Nesse processo, as suas faculdades perceptivas *são ampliadas*, pois o psiquismo humano encontra-se mais bem estruturado.

Na obra *Evolução em dois mundos*, André Luiz afirma que a *intuição* foi o sistema inicial de intercâmbio, e que a produção do pensamento contínuo pelo Espírito — que caracteriza a emissão mental do ser humano — habilitou o perispírito a desprender-se parcialmente nos momentos do sono reparador do corpo físico.

> A intuição foi, por esse motivo, o sistema inicial de intercâmbio, facilitando a comunhão das criaturas, mesmo a distância, para transfundi-las no trabalho sutil da telementação, nesse ou naquele domínio do sentimento e da ideia, por intermédio de remoinhos mensuráveis de força mental, assim como na atualidade o remoinho eletrônico infunde em aparelhos especiais a voz ou a figura de pessoas ausentes, em comunicação recíproca na radiotelefonia e na televisão.[6]

Por meio de árduos esforços, o ser espiritual convence-se de que a mente é a orientadora das necessidades evolutivas que, ao emitir projeções, envolve a pessoa em um campo energético, espécie de "carapaça vibratória", usualmente denominada "aura", uma vez que o pensamento é a força criativa que se exterioriza, envolvendo as mentes que se encontram no seu raio de ação, mas que, pelos mecanismos da reciprocidade, é influenciada por Espíritos, encarnados e desencarnados, superiores e inferiores. Assim, a aura espiritual, na feição de

> [...] antecâmara do Espírito [favorece] [...] todas as nossas atividades de intercâmbio com a vida que nos rodeia, através da qual somos vistos e examinados por Inteligências superiores, sentidos e reconhecidos pelos nossos afins, e temidos e hostilizados ou amados e auxiliados pelos irmãos que caminham em posição inferior à nossa.[7]

---

6 XAVIER, Francisco Cândido. *Evolução em dois mundos*. Primeira parte, cap.17, it. Mediunidade inicial, p. 133, 2013
7 Id. Ibid., p. 132.

Como tentativa de elaborar uma síntese histórica da mediunidade sugere-se a sequência, em seguida disponibilizada, cujos conteúdos foram inspirados em três obras espíritas: *Evolução em dois mundos*, do Espírito André Luiz, psicografia de Francisco Cândido Xavier, FEB; *A caminho da luz,* do Espírito Emmanuel, psicografia de Francisco Cândido Xavier, FEB; e *O espírito e o tempo:* Introdução Antropológica do Espiritismo, de Herculano Pires. Editora Edicel.

- *Mediunidade primitiva*: a intuição é a mediunidade inicial; o médium é idólatra; adora ou teme as forças da natureza, nomeadas como "deuses": sol, céu, lua, estrelas, chuva, árvores, rios, fogo, ser humano que se destaca na comunidade.

- *Mediunidade tribal*: desenvolve-se uma mentalidade mediúnica coletiva: crença grupal em Espíritos ou deuses. Aparecem as concepções de *céu-pai* (o criador ou o fecundador) e *terra-mãe* (a geratriz, a que foi fecundada pelo criador).

- *Fetichismo*: forma mais aprimorada do mediunismo tribal, apresentando forte colorido anímico, pelo culto aos fetiches ou objetos materiais que representam a Divindade ou os Espíritos. Surge a figura do curandeiro ou feiticeiro, altamente respeitada e reverenciada, amada e temida pelos demais membros da tribo ou clã. Em algum momento, estas práticas se desdobraram em outras, conhecidas atualmente: *vodu* e *magia negra.*

- *Mediunismo mitológico*: a prática mediúnica caracteriza-se pela presença dos mitos (simbolismo narrativo da criação do universo e dos seres) e pela *magia* (práticas mediúnicas e anímicas de forte conotação ritualística).

- *Mediunismo oracular:* é o mediunismo que aparece no período da história humana considerado como início da civilização: é politeísta e religioso. Cultuados pela sociedade, os deuses (Espíritos) fazem parte de uma sociedade hierarquizada, onde há um deus maior (Zeus), que vivem em locais específicos (Olimpo). Tais deuses são imortais, poderosos, mas têm paixões típicas dos homens mortais: ódio, amor, rancor, compaixão. Cada deus governa uma parte da terra ou dos seres terrestres. Os oráculos constituem o cerne de toda a atividade humana, nada se faz sem consultá-los. A Grécia torna-se o centro da mediunidade oracular, sendo que o oráculo de Delfos é o mais famoso — o oráculo pode representar a divindade (que fala por voz direta), podia estar encarnada em um médium, ou ocupar temporariamente o seu corpo para se manifestar; mas pode utilizar um objeto do templo (estátua, por exemplo), elementos da natureza, ou manifestar-se naturalmente ao médium, então denominado pitonisa, na forma de domínio psíquico ou corporal.

- Na Antiguidade, segundo Emmanuel, a mediunidade apresenta as seguintes características:

- Face externa ou exotérica – de natureza politeísta, teatral, supersticiosa, repleta de magia, destinada às manifestações públicas.

- Face interna ou esotérica – de essência monoteísta, envolvendo graus de árdua iniciação, e praticada no interior dos templos por médiuns (magos, pitonisas etc.), genericamente denominados "iniciados", que são mantidos sob supervisão de sacerdotes.

A prática mediúnica dos iniciados surgiu com mais ênfase não só entre os gregos, mas também entre outros povos, como os seguintes: a) *egípcios* – a mediunidade de cura é especialmente relatada em *O livro dos mortos*, mas os fenômenos de emancipação da alma eram especialmente conhecidos e praticados; b) *hindus* – em os *Vedas* encontram-se descritas todas as etapas da iniciação mediúnica e do intercâmbio com os Espíritos. Os hindus se revelam como mestres no domínio de práticas anímicas, tais como faquirismo, desdobramento espiritual; c) *judeus* – mediunidade é natural, revela-se exuberante na *Bíblia*, que apresenta uma significativa variedade, os de efeitos físicos e os de efeitos inteligentes. O profetismo é o tipo de mediunismo que mais se destaca e que marca o surgimento da primeira religião revelada: o Judaísmo. Neste cenário surge a figura notável de Moisés, médium de vários e poderosos recursos, a quem Deus concedeu a missão de trazer ao mundo o *Decálogo* ou *Os Dez mandamentos da Lei divina*.

Ainda de acordo com Emmanuel, a proibição de intercâmbio com os mortos contida no *Deuteronômio*[8] justifica-se, pois

> [...] em vista da necessidade de afastar a mente humana de cogitações prematuras. Entretanto, Jesus, assim como suavizara a antiga lei da justiça inflexível com o perdão de um amor sem limites, aliviou as determinações de Moisés, vindo ao encontro dos discípulos saudosos.[9]

---

8   BÍBLIA de Jerusalém. Deuteronômio, 18:9 a 22, p. 281.
9   XAVIER, Francisco Cândido. *Caminho, verdade e vida*. Cap. 9, p. 33, 2012.

No Novo Testamento, os apóstolos e discípulos de Jesus demonstram maior entendimento da mediunidade que, manifestada aos borbotões, é utilizada para auxiliar o próximo. Trata-se de uma guinada histórica excepcional, pois, a partir daí até o surgimento do Espiritismo, a mediunidade é considerada instrumento de melhoria espiritual, não de domínio ou de poder. O dia de *Pentecostes* caracterizado por ser o maior feito mediúnico conhecido, até então (ATOS DOS APÓSTOLOS, 2:1 a 13).

Na Idade Média, a mediunidade é perseguida pela ignorância e fanatismo, e os médiuns são submetidos a suplícios atrozes, em geral, condenados a morrer queimados nas fogueiras, pois as decisões inquisitoriais consideravam as manifestações dos Espíritos ação de forças diabólicas. O martírio a que inúmeros médiuns foram submetidos, principalmente por efeito da ignorância, prossegue ainda nos primeiros dias do Espiritismo, quando estiveram sujeitos a toda sorte de experiências sendo, muitas vezes, denominados charlatões, embusteiros, mistificadores ou desequilibrados mentais.

Por desinformação, ainda hoje percebe-se que em certas comunidades religiosas fechadas os médiuns são considerados entidades diabólicas ou que mantém relações com o demônio.

A História registra o *Auto de Fé* em Barcelona, no qual trezentos volumes de brochuras espíritas foram queimadas por ordem do Bispo da Província, em 9 de outubro de 1861, na tentativa infrutífera de destruir a nova doutrina que surgia, cuja origem e natureza, ainda não eram compreendidas. Contudo, podemos afirmar sem medo de errar: "[...] São chegados os tempos em que todas as coisas devem ser restabelecidas no seu verdadeiro sentido [...]",[10] conforme esclarece o Espírito de Verdade no prefácio de *O evangelho segundo o espiritismo*.

Léon Denis lembra, a propósito, que os adversários do Espiritismo ainda continuarão a difamá-lo por muito tempo, mas os médiuns, definidos "[...] operários do plano divino, rasgaram o sulco e nele depositaram a semente donde se há de erguer a seara do futuro."[11] E Kardec ensina, por sua vez:

> Como intérpretes do ensino dos Espíritos, os médiuns devem desempenhar importante papel na transformação moral que se opera. Os serviços que podem prestar guardam proporção com a boa diretriz que imprimam às suas faculdades, porque os que se enveredam por mau caminho são mais nocivos do que úteis à causa do Espiritismo.[12]

---

10 KARDEC, Allan. *O evangelho segundo o espiritismo*. "Prefácio", p. 11, 2013.
11 DENIS, Léon. *No invisível*. Terceira parte, cap. XXV, p. 540, 2008.
12 KARDEC, Allan. Op. Cit. Cap. XXVIII, it. 9, p. 337, 2013.

ATIVIDADE PRÁTICA 1: BUSCAI E ACHAREIS

Objetivo do exercício
> Interpretar a citação evangélica, registrada por Mateus.

Sugestões ao monitor

1. Pedir aos participantes que façam leitura atenciosa e individual do texto do Evangelho, marcando os pontos considerados úteis à sua interpretação.
2. Solicitar-lhes apresentar as conclusões em plenária para serem analisadas por todos.
3. Realizar breve exposição do significado dado por Allan Kardec ao registro de Mateus, tendo como referência os itens 2 e 5, capítulo XXV, de *O evangelho segundo o espiritismo*.
4. Indicar cinco participantes para ler o poema *Oração*, de José Silvério Horta, como prece final da reunião.

BUSCAI E ACHAREIS[13]

Pedi e vos será dado; buscai e encontrareis; batei e será aberto para vós.

Pois todo aquele que pede recebe, e aquele que busca encontra, e ao que bate será aberto.

---
13 O NOVO Testamento. P. 59, 2013.

ORAÇÃO[14]
José Silvério Horta

Pai Nosso, que estás nos Céus,
Na luz dos sóis infinitos,
Pai de todos os aflitos
Deste mundo de escarcéus.

Santificado, Senhor,
Seja o teu nome sublime,
Que em todo o universo exprime
Concórdia, ternura e amor.

Venha ao nosso coração
O teu reino de bondade,
De paz e de claridade
Na estrada da redenção.

Cumpra-se o teu mandamento
Que não vacila e nem erra,
Nos Céus, como em toda a Terra
De luta e de sofrimento.

Evita-nos todo o *mal,*
Dá-nos o pão no caminho,

Feito na luz, no carinho
Do pão espiritual.
Perdoa-nos, meu Senhor,
Os débitos tenebrosos,
De passados escabrosos,
De iniquidade e de dor.

Auxilia-nos, também,
Nos sentimentos cristãos,
A amar nossos irmãos
Que vivem longe do bem.

Com a proteção de Jesus,
Livra a nossa alma do erro,
Sobre o mundo de desterro,
Distante da vossa luz.

Que a nossa ideal igreja
Seja altar da Caridade,
Onde se faça a vontade
Do vosso amor... Assim seja.

---
14 XAVIER, Francisco Cândido. *Parnaso de além-túmulo,* p. 527-528, 2010.

REFERÊNCIAS

1. KARDEC, Allan. *O evangelho segundo o espiritismo*. Trad. Evandro Noleto Bezerra. 2. ed. 1. imp. Brasília: FEB, 2013.
2. _____. *O livro dos espíritos*. Trad. Evandro Noleto Bezerra. 4. ed. 1. imp. Brasília: FEB, 2013.
3. BÍBLIA de Jerusalém. Nova edição, revista ampliada. Diversos tradutores. São Paulo: Paulus, 2002.
4. DENIS, Léon. *No invisível*. 1. edição especial. 1. reimp. Rio de Janeiro: FEB, 2008.
5. O NOVO Testamento. Tradução, introdução e notas: Haroldo Dutra Dias. 1. ed.1. imp. Brasília: FEB. 2013.
6. XAVIER, Francisco Cândido; VIEIRA, Waldo. *Evolução em dois mundos*. Pelo Espírito André Luiz. 27. ed. 1. imp. Brasília: FEB, 2013.
7. XAVIER. Francisco Cândido. *Caminho, verdade e vida*. Pelo Espírito Emmanuel.1. ed. 3. reimp. Brasília: FEB, 2012.
8. _____. *Parnaso do além-túmulo*. Por diversos Espíritos. 19. ed. Rio de Janeiro: FEB, 2010.

MEDIUNIDADE, METAPSÍQUICA E PARAPSICOLOGIA

Os fenômenos psíquicos (do grego *psyché*: alma, espírito), estudados pelo Espiritismo, pela Metapsíquica e pela Parapsicologia têm como *agente* o Espírito, ser humano sensível e inteligente.

Para a Doutrina Espírita, tais fenômenos, considerados naturais, são de duas categorias: os *mediúnicos* e os *anímicos* (emancipação da alma). Os primeiros são intermediados *pelos médiuns:* "médium é toda pessoa que sente, num grau qualquer, a influência dos Espíritos. Essa faculdade é inerente ao homem e, por conseguinte, não constitui um privilégio exclusivo [...]."[15] *Mediunidade* é a faculdade psíquica que os médiuns possuem, manifestada de forma mais ou menos intensa, e por meio de uma variedade significativa de tipos (videntes, psicógrafos, audientes, musicistas, de cura, etc.). A prática mediúnica é denominada *mediunismo*.

Na segunda categoria, ainda segundo o Espiritismo, temos *os fenômenos anímicos* (do grego, *anima* = alma) ou, mais propriamente, de *emancipação da alma*. São produzidos pelo próprio Espírito encarnado que, nesta situação, não age como intermediário ou intérprete do pensamento dos Espíritos. Partindo-se do princípio que todo ser humano é médium, o Espírito André Luiz assim conceitua *animismo* — ou prática dos fenômenos anímicos: "[...] conjunto dos fenômenos psíquicos produzidos com a cooperação consciente ou inconsciente dos médiuns em ação."[16] E mais:

> Temos aqui muitas ocorrências que podem reportar nos fenômenos mediúnicos de efeitos físicos ou de efeitos intelectuais, com a própria inteligência encarnada comandando manifestações ou delas participando com diligência, numa demonstração que o corpo espiritual [perispírito] pode efetivamente

---
15 KARDEC, Allan. *O livro dos médiuns*. Cap. XIV, it. 159, p. 169, 2013.
16 XAVIER, Francisco Cândido; VIEIRA, Waldo. *Mecanismos da mediunidade*. Cap. 23, it. Mediunidade e Animismo, p. 143, 2013.

desdobrar-se e atuar com os seus recursos e implementos característicos, como consciência pensante e organizadora, fora do carro físico.[17]

A *Metapsíquica* ou *Metapsiquismo* indica, segundo a Psicologia, "um corpo de doutrinas, sem base no método científico, que se funda na aceitação da realidade dos espíritos, fenômenos espiritistas, criptestesia, etc. A *parapsicologia* é uma tentativa de aplicação dos métodos científicos a esses fenômenos, usualmente inexplicados"[18] [para a Psicologia].

A Metapsíquica foi fundada por Charles Robert Richet (1850–1935), médico francês e Prêmio Nobel de Medicina em 1913, como conclusão dos seus estudos com médiuns e, sobretudo, com pacientes obsidiados, portadores de distúrbios mentais, conforme consta em sua obra *Tratado de metapsíquica*. Richet definiu a Metapsíquica como "[...] ciência que tem por objeto a produção de fenômenos mecânicos ou psicológicos devidos a forças que parecem ser inteligentes ou a poderes desconhecidos, latentes na inteligência humana."[19]

Classificou os fenômenos metapsíquicos, com base no estudo da mediunidade, em *Metapsíquica Subjetiva* e *Metapsíquica Objetiva,* tendo como referência, respectivamente, a *mediunidade de efeitos físicos* e a de *efeitos inteligentes*, da proposta espírita de Allan Kardec.

A *Metapsíquica Subjetiva* abrange os fenômenos *telecinéticos*, palavra derivada de *telecinesia* (do grego, *tele* e *kinese* = mover à distância), significa "capacidade de mover fisicamente um objeto com a força psíquica (da mente), fazendo-o levitar, mover-se ou apenas ser abalado pela mente."[20] Esses tipos de fenômenos metapsíquicos são denominados pela Parapsicologia como TK (*telekinesis*) ou PK (*psicokinesis*). Para Richet e seguidores, a telecinesia é possível porque o indivíduo mobiliza, de forma inconsciente, energias fisiológicas (fluido vital) que impregnam um determinado objeto, movendo-o. A telecinese seria uma exteriorização do psiquismo inconsciente.

Atualmente, a telecinesia é estudada de acordo com a metodologia científica, de forma que parapsicólogos e cientistas já obtiveram alguns bons resultados, como os estudos realizados na ex-União das Repúblicas Socialistas Soviéticas (URSS) com a dona de casa russa Nina Kulagina que,

---

17   XAVIER, Francisco Cândido;VIEIRA, Waldo. *Mecanismos da mediunidade*. Cap. 23, it. Mediunidade e Animismo, p. 143, 2013.
18   CABRAL, Álvaro; NICK, Eva. *Dicionário técnico de psicologia*, p. 194, 2001.
19   Metapsíquica, disponível em 17/02/2013 em: http://pt.wikipedia.org/wiki/Metaps%C3%ADquica.
20   Telecinésia, disponível em 17/02/2013: http://pt.wikipedia.org/wiki/Telecinesia.

durante muitas décadas foi estudada e testada por vários parapsicólogos e cientistas em geral, os quais concluíram que ela realmente possuía telecinese, além de outros poderes paranormais — como clarividência. Nos estudos, registraram que quando Nina realizava telecinese, ela passava por mudanças físicas extremamente aceleradas e alteradas nos batimentos cardíacos (chegava a 240 por minuto), ondas cerebrais e campo eletromagnético. Em 1990, enquanto ela realizava uma suposta demonstração telecinética, acabou morrendo por ataque cardíaco.[21]

A *Metapsíquica Objetiva* refere-se a uma classe de fenômenos denominados *criptestesia*, termo criado por Richet, para especificar o conhecimento que algumas pessoas obtêm de acontecimentos ou fatos, presentes e futuros, por intermédio da percepção paranormal, isto é, sem ação dos órgãos dos sentidos. Nessas condições, a pessoa estaria sob efeito de estímulos psíquicos e anímicos, ainda não suficientemente explicados pela Ciência.

A Metapsíquica Objetiva é nomeada pela *Parapsicologia* como *Percepção Extrassensorial*, ou PES, expressão cunhada por Joseph Banks Rhine, professor da Universidade de Duke, estado de Virgínia, nos Estados Unidos da América, e fundador da Parapsicologia.

No século XX surge a *Parapsicologia*, também conhecida como *Pesquisa Psi*. A P*arapsicologia* (do grego *para* = além de + *psique* = alma, espírito, mente, essência + *logos* = estudo, ciência), significa, literalmente, o estudo do que está além da psique, viabilizado por indivíduos popularmente conhecidos como "sensitivos" ou "psíquicos".

> A experimentação científica de tais *fenômenos paranormais teve início nos Estados Unidos*, em 1927, quando o prof. J. B. Rhine fundou o Instituto de Parapsicologia da Universidade de Duke, hoje Instituto Parapsicológico de Durham. A Parapsicologia é o campo da psicologia que investiga todos os fenômenos psicológicos que, aparentemente, não podem ser explicados em termos de leis ou princípios científicos naturais. A parapsicologia inclui o estudo e investigação da clarividência, telepatia, transes, telecinese, mediunismo, *poltergeist, etc.* A finalidade dos parapsicólogos é colocar esses fenômenos no âmbito das leis naturais, ampliando — se necessário — as fronteiras destas últimas[22] (grifo no original).

Neste sentido, Rhine apresentou a seguinte classificação, considerada fundamental para o estudo e pesquisa do assunto:

---

21 Telecinésia, disponível em 17/02/2013: http://pt.wikipedia.org/wiki/Telecinesia.
22 CABRAL, Álvaro; NICK, Eva. *Dicionário técnico de psicologia*, p. 219, 2001.

Fenômenos psicocinéticos, PK (*psychokinesis*) ou TK (*telekinesis*), assim caracterizados por ações diretas do sensitivo no meio ambiente. Se estas ações produzem grandes efeitos, percebidos pelos circunstantes, diz-se *macro-PK*. As ações menores, de pouco impacto ambiental, recebem o nome de *micro-PK*. São fenômenos psicocinéticos (PK): a) telepatia — transmissão mental de pensamentos e emoções; b) clarividência — visualização mental de coisas, acontecimentos, cenas e pessoas do mundo físico, através de um corpo opaco ou à distância (seria a dupla vista da classificação espírita); c) clariaudiência — percepção de sons, ruídos, frases, músicas, vozes, etc., provenientes do plano físico e do extrafísico, não percebidos pelas demais pessoas; d) precognição — previsão de acontecimentos futuros; e) retrocognição — relatos de acontecimentos ocorridos no passado, desconhecidos do sensitivo; f) psicocinesia — ação mental sobre objetos materiais, localizados no plano físico, movimentando-os ou produzindo os efeitos, inclusive alteração de forma.

Fenômenos extrassensoriais (PES: percepção extrassensorial) que se encontram divididos em três tipos: Psi-Gama (telepatia, clarividência, clariaudiência, xenoglosia, etc.), Psi-Kapa (levitação e/ou transporte de objetos e pessoas) e Psi-teta, que são os fenômenos mediúnicos, propriamente ditos.

Em síntese, para a Doutrina Espírita os fenômenos paranormais, ou extrassensoriais, são considerados de dois tipos: *anímicos e mediúnicos*. Os primeiros, assim denominados por Alexandre Aksakof (1832–1903), diplomata e filósofo russo que, ao se apropriar da expressão "anima" (alma), designa os fenômenos paranormais produzidos pela própria alma humana de anímicos, os quais o Codificador preferiu chamar de fenômenos de emancipação da alma. Os segundos, originalmente designados por Allan Kardec, indicam a faculdade inerente às pessoas de se comunicarem com seres extracorpóreos. Para o Espiritismo, os fenômenos mediúnicos podem apresentar duas formas de manifestação: efeitos físicos, que revelam ações de impacto no meio ambiente, e efeitos intelectuais, cuja manifestação exige certo grau de elaboração mental e de interpretação intelectual. Contudo, importa assinalar, a prática espírita, manifestada na forma do mediunismo e do animismo, fundamenta-se, necessariamente, nos parâmetros de moralidade, expressos no Evangelho de Jesus.

ATIVIDADE PRÁTICA 2: A PRECE DO PUBLICANO E DO FARISEU

Objetivos do exercício

> Identificar na prece do publicano e do fariseu a maneira correta de orar, ensinada por Jesus.

> Destacar os sentimentos suscitados pela prece proferida pelos dois personagens do Evangelho.

Sugestões ao monitor

1. Pedir aos participantes que façam leitura do texto evangélico.
2. Orientá-los a realizar breve troca de ideias sobre o texto lido.
3. Em seguida, os participantes devem apresentar conclusões do estudo, de acordo com o que se solicita nos objetivos.
4. Ao final da reunião, proferir prece destacando os sentimentos evidenciados na atitude do publicano.

A PRECE DO PUBLICANO E DO FARISEU (Lucas, 18:10 a 14)[23]

Dois homens subiram ao templo para orar: um, fariseu; e o outro, publicano.

O fariseu, de pé, orava dizendo a si mesmo estas coisas: Ó Deus, eu te dou graças porque não sou como os demais homens, exploradores, injustos e adúlteros, nem também como este publicano.

Jejuo duas vezes por semana, pago o dízimo de tudo quanto adquiro.

O publicano, porém, de pé, à distância, não queria nem levantar os olhos para o céu, mas batia no seu peito, dizendo: Ó Deus, tem compaixão de mim, pecador.

Digo-vos: Este desceu para casa justificado. Porque todo aquele que exalta a si mesmo será diminuído, e aquele que diminui a si mesmo será exaltado.

---
23   O NOVO Testamento. P. 349, 2013.

REFERÊNCIAS

1. KARDEC, Allan. *O livro dos médiuns*. Trad. Evandro Noleto Bezerra. 2. ed. 1. imp. Brasília: FEB Editora, 2013.
2. CABRAL, Álvaro; NICK, Eva. *Dicionário técnico de psicologia*. 11. ed. São Paulo, Cultrix, 2001.
3. O NOVO Testamento. Tradução, introdução e notas: Haroldo Dutra Dias. 1. ed. 1. imp. Brasília: FEB. 2013.
4. XAVIER, Francisco Cândido; VIEIRA, Waldo. *Mecanismos da mediunidade*. Pelo Espírito André Luiz. 28. ed. 1. reimp. Brasília: FEB, 2013.
5. XAVIER, Francisco Cândido. *Missionários da luz*. Pelo Espírito André Luiz. 45. ed. 1. imp. Brasília: FEB, 2013.

PROGRAMA I – MÓDULO I – TEMA 3

O MÉTODO KARDEQUIANO DE COMPROVAÇÃO MEDIÚNICA

Ao longo dos tempos, a Ciência vem legando ao homem uma série de conhecimentos que têm contribuído fundamentalmente para o progresso da humanidade, pela correta utilização da razão e do raciocínio formal-lógico.

Com o Espiritismo, aprendemos com Allan Kardec que a investigação, análise e conclusões dos fenômenos mediúnicos devem seguir dois fundamentos: a razão, tal como ensina a Ciência, e o bom senso, segundo as diretrizes da intuição ou da inspiração.

Com essas duas ferramentas Allan Kardec construiu o edifício doutrinário do Espiritismo, a partir das manifestações mediúnicas, algumas das quais muito singelas ou banais, mas que não escaparam à sua arguta percepção, desenvolvida ao longo das reencarnações sucessivas e na excelente formação intelectual e humanista que recebeu quando renasceu na França, no século XIX.

1 ALLAN KARDEC E O USO DO MÉTODO EXPERIMENTAL NA INVESTIGAÇÃO DOS FATOS ESPÍRITAS

Hippolyte Léon Denizard Rivail, o nome do codificador da Doutrina Espírita, mais conhecido pelo pseudônimo de ALLAN KARDEC, nasceu na cidade de Lyon, na França, às 19 horas do dia 3 de outubro de 1804.[24] "Descendentes de antiga família lionesa, católica, de nobres e dignas tradições, foram seus pais Jean-Baptiste Antoine Rivail, homem de leis, juiz, e Jeanne Louise Duhamel."[25] Desencarnou na cidade de Paris em 31 de março de 1869.

---

24 WANTUIL, Zeus; Thiesen, Francisco. *Allan Kardec*: meticulosa pesquisa biobibliográfica. v. I, cap.1, p. 29.
25 Id. Ibid., p. 29.

> Rivail realizou seus primeiros estudos em Lião, sendo educado dentro de severos princípios de honradez e retidão moral [...]. Com a idade de dez anos seus pais o enviam a Yverdon (ou Yverdun), cidade Suíça do Cantão de Vaud [...], a fim de completar e enriquecer sua bagagem escolar no célebre Instituto de Educação ali instalado em 1805, pelo professor-filantropo João Henrique Pestalozzi [...].[26]

Concluídos seus estudos na Suíça, Rivail retorna à França, fixando residência em Paris, onde trabalhou como professor em escolas francesas e escreveu várias obras de apoio à educação e ao ensino.

Convidado a assistir aos fenômenos das "mesas que giravam, corriam e saltavam", percebeu, de início, que em meio à frivolidade e à irreverência que, em geral, cercavam a manifestação dos fenômenos mediúnicos, havia ali alguma coisa de diferente, inteligente e transcendental, que poderia ser a causa dos movimentos das mesas. Posteriormente, passou a ser assíduo às reuniões, sobretudo na casa da família Boudin, tendo a oportunidade de endereçar, às supostas mesas, perguntas, algumas proferidas mentalmente, inclusive, mas todas eram respondidas de forma inteligente e, não raro, demonstrando profundo conhecimento.

À medida que se inteirava do assunto, muitas indagações surgiram, naturalmente, e, aplicando o método experimental, ou racional, Kardec procurava conhecer, a fundo, o significado desses fenômenos, como esclarece em *Obras póstumas*:

> [...] Apliquei, a essa nova ciência, como o fizera até então, o método experimental; nunca elaborei teorias preconcebidas; observava cuidadosamente, comparava, deduzia consequências; dos efeitos procurava remontar às causas, por dedução e pelo encadeamento lógico dos fatos, não admitindo por válida uma explicação, senão quando podia resolver todas as dificuldades da questão. [...] Compreendi, antes de tudo, a gravidade da exploração que ia empreender; percebi, naqueles fenômenos, a chave do problema tão obscuro e tão controvertido do passado e do futuro da humanidade, a solução que eu procurara em toda minha vida. Era, em suma, toda uma revolução nas ideias e nas crenças: era preciso, portanto, andar com a maior circunspeção e não levianamente; ser positivista e não idealista, para não me deixar iludir.[27]

Ao aplicar a ferramenta do método científico em suas análises, Kardec chega a duas conclusões, de imediato:

---

26 WANTUIL, Zeus; Thiesen, Francisco. *Allan Kardec*: meticulosa pesquisa biobibliográfica. v. I, cap. 2, p. 32.

27 KARDEC, Allan. *Obras póstumas*. Segunda parte, cap. "A minha iniciação no Espiritismo", p. 349-350.

> O simples fato da comunicação com os Espíritos, dissessem eles o que dissessem, provava a existência do mundo invisível ambiente. [...] O segundo ponto, não menos importante, era que aquela comunicação nos permitia conhecer o estado desse mundo, seus costumes [...].[28]

No livro *A gênese*, ele reafirma como realizou o trabalho de investigação dos fenômenos mediúnicos e as conclusões obtidas, em seguida publicadas nas obras básicas da Codificação Espírita:

> Como meio de elaboração, o Espiritismo procede exatamente da mesma maneira que as ciências positivas, isto é, aplicando o método experimental. Quando fatos novos se apresentam, que não podem ser explicados pelas leis conhecidas, ele os observa, compara, analisa e, remontando dos efeitos às causas, chega à lei que os preside; depois, lhes deduz as consequências e busca as aplicações úteis. *Não estabeleceu nenhuma teoria preconcebida*; assim, não estabeleceu como hipótese a existência e a intervenção dos Espíritos, nem o perispírito, nem a reencarnação, nem qualquer dos princípios da Doutrina. Concluiu pela existência dos Espíritos quando essa existência ressaltou evidente da observação dos fatos, procedendo de igual maneira quanto aos outros princípios[29] (grifo no original).

Em suma: "Não foram os fatos que vieram depois confirmar a teoria: a teoria é que veio subsequentemente explicar e resumir os fatos. [...]"[30]

2 ALLAN KARDEC E O USO DA INTUIÇÃO NA INVESTIGAÇÃO DOS FATOS ESPÍRITAS

Perplexo, ante a grandiosidade do conhecimento que os fenômenos mediúnicos apresentavam, o codificador percebe, contudo, que nem sempre era possível obter respostas satisfatórias, claras e objetivas, utilizando, apenas, o método racional. Teve, então, a feliz ideia de associar à metodologia científica instrumentos da percepção extrassensorial, como diríamos nos dias atuais. Guiando-se pela intuição, faculdade que lhe era bem desenvolvida, definiu inovador *método racional-intuitivo* de investigação do fenômeno mediúnico.

A intuição, diga-se de passagem, é uma modalidade ou aptidão psíquica muito comum no ser humano em geral, nos médiuns em particular, e, em especial, nos psicógrafos e psicofônicos. Surge na mente como uma lembrança de ideias ou acontecimentos, anteriormente conhecidos do encarnado quando este se encontrava no estado de sono e sonho. A intuição

---
28 KARDEC, Allan. *Obras póstumas*. Segunda parte, cap. "A minha iniciação no Espiritismo"., p. 350.
29 Id. *A gênese*. Cap. I, it. 14, p. 20-21, 2013.
30 Id. Ibid., p. 21.

manifesta-se, também, quando o médium consegue captar mentalmente, e de forma sutil, ideias e sentimentos transmitidos pelos Espíritos. Assim, "[...] o médium intuitivo escreve o pensamento que lhe é sugerido instantaneamente, sobre um assunto determinado e provocado."[31]

3 O MÉTODO RACIONAL-INTUITIVO DE COMPROVAÇÃO MEDIÚNICA

Proposto por Allan Kardec para interpretação dos fenômenos mediúnicos, o método racional-intuitivo é a hábil associação de instrumentos científicos de observação, registro e processamento de dados com os recursos da intuição, a fim de elaborar uma ou mais conclusões a respeito de um fato ou acontecimento.

No início de suas pesquisas, o Codificador utilizou o método racional-intuitivo para melhor compreender a origem e razão de ser das manifestações mediúnicas que ocorriam, abundantemente, na sociedade da época. Mais tarde, esse método foi aplicado, dentre outros, para: a) classificar e qualificar a faculdade mediúnica; b) entender o papel dos médiuns na comunicação mediúnica, sua influência moral e a do meio onde vivia, as contradições mediúnicas, falsas e verdadeiras, e as mistificações; c) explicar a relação Espírito-médium, a ação anímica do médium, necessária e desnecessária; d) definir tipos e graus da influência dos Espíritos no mundo físico e de como neutralizar/evitar a ação dos Espíritos inferiores; e) identificar a natureza, intenções e identidade do Espírito comunicante; f) organizar uma reunião mediúnica séria e instrutiva.

Todas essas informações serviram de referência para a edificação da Doutrina Espírita que, partindo de *O livro dos espíritos*, escrito na forma de um código, foi posteriormente desdobrado (ou decodificado) nas demais obras básicas, de acordo com uma temática específica: *O livro dos médiuns*, *O evangelho segundo o espiritismo*, *O céu e o inferno* e *A gênese*.

Um ponto relevante, que não deve passar despercebido, é aquele que a nova ordem de conhecimentos trouxe no seu bojo: a questão moral. Esta é revelada como a verdadeira fortaleza da Doutrina Espírita que, a rigor, deve transformar o indivíduo para melhor. Daí Allan Kardec afirmar: "[...]

---

31 KARDEC, Allan. *O livro dos médiuns*. Segunda parte, cap. XVI, it. 191, p. 196, 2013.

O mais belo lado do Espiritismo é o lado moral. É por suas consequências morais que triunfará, pois aí está a sua força, pois aí é invulnerável [...]."[32]

Outro ponto de capital importância, que jamais deve ser esquecido pelos espíritas, é que a referência moral do Espiritismo está contida no Evangelho de Jesus: "A moral que os Espíritos ensinam é a do Cristo, em virtude de não haver outra melhor [...]."[33] Significa dizer, em outras palavras:

> [...] Não, o Espiritismo não traz moral diferente da de Jesus. [...] Os Espíritos vêm não só confirmá-la, mas também nos mostrar a sua utilidade prática. Tornam inteligíveis e patentes verdades que só haviam sido ensinadas sob a forma alegórica. E, juntamente com a moral, trazem-nos a definição dos mais abstratos problemas da Psicologia. [Pois] Jesus veio mostrar aos homens o caminho do verdadeiro bem. [...][34]

---

32 KARDEC, Allan. *Revista Espírita*: Jornal de Estudos Psicológicos. Nov. 1861, p. 359.
33 Id. *A gênese*. Cap. I, it. 56, p. 41, 2013.
34 Id. *O livro dos espíritos*. "Conclusão VIII", p. 457, 2013.

ATIVIDADE PRÁTICA 3: A PRECE NAS AFLIÇÕES DA VIDA

Objetivos do exercício

> Relacionar as principais características de um pedido que se pode fazer a Deus.

> Esclarecer porque nem sempre Deus atende aos nossos pedidos.

Sugestões ao monitor

1. Realizar breve exposição introdutória do assunto (5 minutos), tendo como referência o item 26, capítulo 28, de *O evangelho segundo o espiritismo.*

2. Pedir ao grupo que leia a prece abaixo relacionada, sugerida por Allan Kardec; troque opiniões entre si sobre as ideias desenvolvidas no texto e, em seguida, relacione as principais características de um pedido que se deve fazer a Deus.

3. Analisar, em plenária, as conclusões do estudo.

4. Ao final, orar em benefício dos que sofrem (ou pedir a alguém para fazê-lo), com base no exercício realizado.

A PRECE NAS AFLIÇÕES DA VIDA[35]

Deus Onipotente, que vês as nossas misérias, escuta com benevolência a súplica que neste momento te dirijo. Se o meu pedido é despropositado, perdoa-me; se é justo e conveniente aos teus olhos, que os Espíritos bons, executores das tuas vontades, venham em meu auxílio para que ele seja satisfeito. Como quer que seja, meu Deus, faça-se a tua vontade. Se os meus desejos não forem atendidos, é que está nos teus desígnios experimentar-me e eu me submeto sem me queixar. Faze que eu não seja tomado por nenhum desânimo e que nem a minha fé nem a minha resignação sofram qualquer abalo. (Formular o pedido).

---

35 KARDEC, Allan. *O evangelho segundo o espiritismo*. Cap. XXVIII, it. 27, p. 345, 2013.

REFERÊNCIAS

1. KARDEC, Allan. *A gênese*. Trad. Evandro Noleto Bezerra. 2. ed. 1. imp. Brasília: FEB, 2013.
2. _____. *O evangelho segundo o espiritismo*. Trad. Evandro Noleto Bezerra. 2. ed. 1. imp. Brasília: FEB, 2013.
3. _____. *O livro dos espíritos*. Trad. Evandro Noleto Bezerra. 4. ed. 1. imp. Brasília: FEB, 2013.
4. _____. *O livro dos médiuns*. Trad. Evandro Noleto Bezerra. 2. ed. 1. imp. Brasília: FEB, 2013.
5. _____. *Obras póstumas*. Trad. Evandro Noleto Bezerra. Rio de Janeiro: FEB, 2009.
6. KARDEC, Allan. *Revista Espírita*: Jornal de Estudos Psicológicos, Ano IV, novembro de 1861, p. 359. Trad. Evandro Noleto Bezerra. 3. ed. Rio de Janeiro: FEB, 2006.
7. WANTUIL, Zêus; THIESEN, Francisco. *Allan Kardec*: meticulosa pesquisa biobibliográfica. 5. ed. v. 1. Rio de Janeiro: FEB, 1999.
8. XAVIER, Francisco Cândido. *Missionários da luz*. Pelo Espírito André Luiz. 45. ed. 1. imp. Brasília: FEB, 2013.

PROGRAMA I – MÓDULO I – TEMA 4

ESPÍRITO, MATÉRIA E FLUIDOS

Em *O livro dos espíritos*, questão 459, consta a informação de que os Espíritos influem em nossos pensamentos, em nossos atos "muito mais do que imaginais, pois frequentemente são eles que vos dirigem".[36] Resulta daí a importância de se compreender adequadamente o assunto, sabendo quem são os Espíritos, como agem e como estabelecer com eles uma relação elevada.

Na questão 27 da mesma obra,[37] Allan Kardec anota que a Criação divina abrange a existência de dois elementos gerais no universo: espírito e matéria. Assim, Deus, espírito e matéria constituem o princípio de tudo o que existe, a trindade universal. Importa considerar que a individualidade denominada *Espírito* representa a humanização do princípio inteligente que, na Codificação Espírita, recebe o nome de *espírito*.

Já a matéria, nas inúmeras formas existentes no plano físico e no espiritual, tem origem no elemento primordial denominado Fluido Universal — também conhecido como fluido primitivo ou elementar e, ainda, matéria cósmica primitiva, termo esse adotado em *A gênese*.[38]

Em síntese, *espírito* é o mesmo que "princípio inteligente do universo",[39] que deu origem ao ser humano (ou Espírito), porque a inteligência é o seu atributo essencial, enquanto o princípio material, presente no fluido universal, é o elemento formador de todos os tipos de matéria encontrados no universo.

1 ESPÍRITO

O Espírito é a individualidade que, na forma de princípio inteligente, passou por um longo processo evolutivo nos reinos inferiores da natureza,

---

36 KARDEC, Allan. *O livro dos espíritos*, p. 230, 2013.
37 Id. Ibid, p. 61-62.
38 Id. *A gênese*. Cap.VI, it. 1, p. 89, 2013.
39 Id. *O livro dos espíritos*. Q. 23, p. 60, 2013.

em ambos os planos de vida, até atingir a condição humana, dotada de razão e livre-arbítrio. Assim, conforme consta em *O livro dos espíritos*, "os Espíritos são a individualização do princípio inteligente, como os corpos são a individualização do princípio material." [40]

Os Espíritos são seres humanos criados por Deus para habitarem o plano espiritual, denominado mundo normal primitivo, "o mundo dos Espíritos, ou das inteligências incorpóreas".[41] Contudo, a encarnação e as reencarnações sucessivas lhes são impostas como medida de progresso. Allan Kardec registra, então: "Deus lhes impõe a encarnação para chegar à perfeição. [...] Mas, para alcançarem essa perfeição, *têm que sofrer todas as vicissitudes da existência corpórea* [...]"[42] (grifo no original).

Os Espíritos, independentemente do plano onde vivem, possuem um veículo de manifestação denominado perispírito. Dissertando sobre esse elemento, observa Kardec: "[...] o princípio intermediário, ou *perispírito*, substância semimaterial que serve de primeiro envoltório ao Espírito e une a alma ao corpo."[43] Retirado do meio ambiente onde vive o Espírito, o corpo perispiritual tem origem no fluido universal e serve de molde à elaboração do corpo físico.

Segundo a Codificação, o Espírito é um ser imortal, isto é, a sua existência não tem fim. Comentando a resposta à questão 92-a de *O livro dos espíritos*, o Codificador esclarece: "Cada Espírito é uma unidade indivisível, mas cada um pode expandir seu pensamento em diversas direções, sem por isso se dividir [...]."[44] Tem-se na questão 82, da obra citada, que o Espírito é de natureza incorpórea[45]; e na resposta à pergunta 91, do livro em estudo, afirmam os orientadores espirituais que a matéria não lhes oferece obstáculos, daí o Espírito, propriamente dito, penetrar tudo: "[...] ar, água, terra e fogo."[46]

Os Espíritos não se acham no mesmo plano evolutivo.

> Seu número é ilimitado, porque não há entre essas ordens uma linha de demarcação traçada como uma barreira, de modo que se podem multiplicar ou restringir as divisões à vontade. No entanto, considerando as características gerais dos Espíritos, pode-se reduzi-las a três ordens principais.[47]

---

40 KARDEC, Allan. *O livro dos espíritos*. Q. 79, p. 84, 2013.
41 Id. Ibid., q. 84, p. 85.
42 Id. Ibid., q. 132, p. 103.
43 Id. Ibid., q. 135, p. 105, 2013.
44 Id. Ibid., q. 92-a, p. 87.
45 Id. Ibid., q. 82, p. 84.
46 Id. Ibid., q. 91, p.86.
47 Id. Ibid., q. 97, p. 88.

Os Espíritos que se situam na primeira ordem são os que atingiram a perfeição; na segunda, são os que têm como preocupação o desejo do bem; e os Espíritos da terceira ordem são os imperfeitos, caracterizados pela ignorância, desejo do mal e das paixões más.[48]

2 MATÉRIA

Para que o Espírito possa atuar ou agir necessita da matéria, entendida como: "[...] o instrumento de que este se serve e sobre o qual, ao mesmo tempo, exerce sua ação."[49] Com base neste esclarecimento, Allan Kardec conclui: "Deste ponto de vista, pode dizer-se que a matéria é o agente, o intermediário com o auxílio do qual e sobre o qual atua o espírito."[50]

Toda matéria existente no universo, visível e invisível, tem origem no fluido cósmico ou matéria cósmica primitiva. Dissertando sobre a criação universal, Allan Kardec, no livro *A gênese*, informa:

> A matéria cósmica primitiva continha os elementos materiais, fluídicos e vitais de todos os universos que desdobram suas magnificências diante da eternidade. Ela é a mãe fecunda de todas as coisas, a primeira avó e, sobretudo, a eterna geratriz.[51]

O Espírito André Luiz, no livro *Evolução em dois mundos*, denomina o fluido cósmico universal de "plasma divino, hausto do Criador ou força nervosa do Todo-Sábio",[52] e completa: "Nesse elemento primordial, vibram e vivem constelações e sóis, mundos e seres, como peixes no oceano."[53]

A concepção usual que se tem de matéria está fortemente relacionada com aquilo que os sentidos corporais captam. No entanto, os Espíritos desencarnados, embora não possuindo corpo físico, estão rodeados por matéria e atuam sobre ela, porque o mundo espiritual, ainda que invisível, possui matéria que, para nós encarnados, seria classificada como energia, um tipo de matéria cujas moléculas vibram em outra dimensão.

André Luiz, na obra referida anteriormente, pondera que, "[...] na essência toda matéria é energia tornada visível e que toda energia,

---

48 KARDEC, Allan. *O livro dos espíritos*. Q. 100, p. 90.
49 Id. Ibid., q. 22-a. p. 60.
50 Id. Ibid., q. 22-a (comentário). p. 60.
51 Id. *A gênese*. Cap. VI, it. 17, p. 99, 2013.
52 XAVIER, Francisco Cândido; VIEIRA, Waldo Vieira. *Evolução em dois mundos*. Primeira parte, cap.1, it. Plasma divino, p. 19, 2013.
53 Id. Ibid.

originariamente, é força divina de que nos apropriamos para interpor os nossos propósitos aos propósitos da Criação [...]."[54]

Em *A gênese*, Allan Kardec, analisando a constituição intrínseca da matéria, afirma:

> Entretanto, podemos estabelecer como princípio absoluto que todas as substâncias, conhecidas e desconhecidas, por mais desiguais que pareçam, quer do ponto de vista da sua constituição íntima, quer sob o aspecto de suas ações recíprocas, não são, de fato, senão modos diversos sob os quais a matéria se apresenta; variedades em que ela se transforma sob a direção das forças inumeráveis que a governam.[55]

3 FLUIDOS

Fluido é a designação genérica dos líquidos e gases porque, em oposição aos elementos sólidos, propriamente ditos, possuem a capacidade de escoar com grande facilidade. Classificados como matéria, os fluidos originam-se, obviamente, do fluido universal. Allan Kardec anota:

> Há um fluido etéreo que enche o espaço e penetra os corpos. Esse fluido é o *éter*, ou *matéria cósmica primitiva*, geradora do mundo e dos seres. São inerentes ao éter as forças que presidiram às metamorfoses da matéria, as leis imutáveis e necessárias que regem o mundo. Essas forças múltiplas, indefinidamente variadas segundo as combinações da matéria, localizadas segundo as massas, diversificadas em seus modos de ação, de acordo com as circunstâncias e os meios, são conhecidas na Terra sob os nomes de *gravidade, coesão, afinidade, atração, magnetismo, eletricidade ativa*[56] (grifo no original).

Os elementos fluídicos, do plano físico ou do espiritual, produzem movimentos vibratórios e ondulantes que, como energia se expressam de diferentes formas: sonora, luminosa, calorífera, eletromagnética, mental, etc.

Importa assinalar que o fluido cósmico universal apresenta-se no universo sob dois estados distintos:

a) o de eterização ou de imponderabilidade (qualidade do que não se pode pesar), considerado o estado normal primitivo. Comum no plano espiritual, não é uniforme, sofrendo infinitas variações, muito além das que ocorrem no plano material.[57]

---

54 XAVIER, Francisco Cândido; VIEIRA, Waldo. *Evolução em dois mundos*. Primeira parte, cap.1, it. Plasma divino, p. 19, 2013.
55 KARDEC, Allan. *A gênese*. Cap. VI, it. 3, p. 93, 2013.
56 Id. Ibid., it. 10, p. 95.
57 Id. Ibid. Cap. XIV, it. 2, p. 234.

b) o de materialização ou de ponderabilidade (que pode ser pesado), que é, de certo modo, consecutivo ao primeiro.[58] Estes predominam no plano físico.

Tais estados não são absolutos e têm um ponto intermediário, que é, segundo os Espíritos superiores, o da transformação do fluido em matéria tangível.[59]

A ação dos Espíritos no mundo corpóreo tem como base a utilização de tais fluidos, o que permite a produção de fenômenos mediúnicos ostensivos.

---

58 KARDEC, Allan. *A gênese*. Cap. VI, it. 3, p. 234, 2013.
59 Id. Ibid.

ATIVIDADE PRÁTICA 4: O DOM DE CURAR PELA PRECE

Objetivo do exercício
> Aprender a utilizar a prece como instrumento de auxílio aos enfermos.

Sugestões ao monitor
1. Interpretar, rapidamente, a orientação de Jesus, a seguir inserida, esclarecendo que a prece pode auxiliar, e muito, aos enfermos do corpo e da alma.
2. Orar em benefício de alguém que se encontra enfermo, pedindo aos participantes que acompanhem as ideias sugeridas na oração e envolvam o doente em vibrações mentais de cura.

DOM DE CURAR[60]

Curai enfermos, erguei mortos, purificai leprosos, expulsai daimones [espíritos maus]; de graça recebestes, de graça dai.

---
60 O NOVO Testamento. P. 71, 2013.

REFERÊNCIAS

1. KARDEC, Allan. *A gênese*. Trad. Evandro Noleto Bezerra. 2. ed. 1. imp. Brasília: FEB, 2013.
2. _____. *O livro dos espíritos*. Trad. Evandro Noleto Bezerra. 4. ed. 1. imp. Brasília: FEB, 2013.
3. O NOVO Testamento. Tradução, introdução e notas: Haroldo Dutra Dias. 1. ed. 1. imp. Brasília: FEB. 2013.
4. XAVIER, Francisco Cândido; VIEIRA, Waldo. *Evolução em dois mundos*. Pelo Espírito André Luiz. 27. ed. 1. imp. Brasília: FEB, 2013.

PERISPÍRITO E PRINCÍPIO VITAL

Como após a morte do corpo físico os Espíritos vivem invisíveis entre nós, porque se encontram em outra dimensão da matéria, é natural que queiram se comunicar com os encarnados. Mas como é feita esta comunicação? A resposta a esta pergunta encontra-se na compreensão do perispírito, sua natureza, funções e propriedades. Allan Kardec afirma:

> Numerosas observações e fatos irrecusáveis [...] levaram-nos à conclusão de que há no homem [encarnado] três componentes: 1º, a alma, ou Espírito, princípio inteligente no qual reside o senso moral; 2º, o corpo, envoltório material e grosseiro que reveste temporariamente a alma para o cumprimento de certos desígnios providenciais; 3º, o perispírito, envoltório fluídico, semimaterial, que serve de ligação entre a alma e o corpo.[61]

Em *O livro dos espíritos* consta que a natureza vaporosa (semimaterial) do perispírito permite ao Espírito "[...] poder [de] elevar-se na atmosfera e transportar-se aonde queira."[62] Mas, sendo o perispírito o elo de ligação entre o Espírito e o corpo material, "[...] ele é tirado do meio ambiente, do fluido universal. [...] Poder-se-ia dizer que é a quintessência da matéria. É o princípio da vida orgânica, mas não o da vida intelectual, pois esta reside no Espírito. É, além disso, o agente das sensações exteriores. [...]"[63]

O perispírito reflete o grau de evolução, moral e intelectual, de cada indivíduo, ainda que, em sua constituição, os elementos básicos sejam retirados do mundo onde o Espírito vive, encarnado ou desencarnado. "Resulta disso este fato capital: *a constituição íntima do perispírito não é idêntica em todos os Espíritos encarnados ou desencarnados que povoam a Terra ou o espaço que a circunda* [...]"[64] (grifo no original).

> O mesmo já não se dá com o corpo carnal, que [...] se forma dos mesmos elementos, qualquer que seja a superioridade ou a inferioridade do Espírito.

---

61 KARDEC, Allan. *O livro dos médiuns*. Segunda parte, cap. I, it. 54, p. 62-63, 2013.
62 Id. *O livro dos espíritos*. Q. 93, p. 87, 2013.
63 Id. Ibid. Q. 257, p. 159.
64 Id. *A gênese*. Cap. XIV, it.10, p. 238, 2013.

> Por isso, em todos, o corpo produz os mesmos efeitos, as necessidades são semelhantes, ao passo que diferem em tudo o que respeita ao perispírito. Também resulta que: *o envoltório perispirítico de um Espírito se modifica com o progresso moral que este realiza em cada encarnação, embora ele encarne no mesmo meio; que os Espíritos superiores, encarnando excepcionalmente, em missão, num mundo inferior, têm perispírito menos grosseiro do que os naturais desse mundo*[65] (grifo no original).

O perispírito acompanha, pois, a evolução do Espírito, "[...] cuja natureza se eteriza à medida que ele se depura e se eleva na hierarquia espiritual. [...]"[66]

O perispírito é parte integrante do Espírito, assim como o corpo físico é inerente ao homem encarnado: "[...] Mas o perispírito, considerado isoladamente, não é o Espírito, da mesma forma que, sozinho, o corpo não constitui o homem, já que o perispírito não pensa. [...]"[67] O perispírito e o corpo físico são, na verdade, agentes e instrumentos da vontade ou da ação do Espírito, o ser intelectual e moral.

> Esse segundo envoltório da alma, ou *perispírito*, existe, pois, durante a vida corpórea; é o intermediário de todas as sensações que o Espírito percebe e pelo qual transmite sua vontade ao exterior e atua sobre os órgãos do corpo. Para nos servirmos de uma comparação material, diremos que é o fio elétrico condutor, que serve para a recepção e a transmissão do pensamento [...].[68]

O perispírito adquire a forma da organização biológica do ser. No Espírito, a "forma do perispírito é a forma humana e, quando nos aparece, geralmente é com a que revestia o Espírito na condição de encarnado. [...]"[69] E, mais, acrescenta Kardec:

> [...] Com pequenas diferenças quanto às particularidades, a forma humana se nos depara entre os habitantes de todos os globos, à exceção das modificações orgânicas exigidas pelo meio no qual o ser é chamado a viver. [...] Essa é também a forma de todos os Espíritos não encarnados, que só têm o perispírito; a forma com que, em todos os tempos, se representaram os anjos, ou Espíritos puros. Devemos concluir de tudo isso que a forma humana é a forma típica de todos os seres humanos, seja qual for o grau de evolução a que pertençam.[70]

Entre as diferentes propriedades do perispírito, destacamos aquelas mais diretamente envolvidas na manifestação mediúnica dos Espíritos.

---

65 KARDEC, Allan. *A Gênese*. p. 238–239.
66 Id. *O livro dos médiuns*. Segunda parte, cap. I, it. 55, p. 63, 2013.
67 Id. Ibid. Segunda parte., cap. I, it. 55, p. 64, 2013.
68 Id. Ibid., it. 54, p. 63.
69 Id. Ibid., it. 56, p. 64.
70 Id. Ibid., it. 56, p. 64.

As aparições e materializações, por exemplo, inclusive as que revelam detalhes (vestimenta, expressões fisionômicas, acessórios, etc.) revelam a capacidade *plástica* ou de *maleabilidade* do perispírito, visto que "[...] a matéria sutil do perispírito não possui a tenacidade, nem a rigidez da matéria compacta do corpo; ela é, se assim nos podemos exprimir, flexível e expansível [...]; modela-se à vontade do Espírito, que pode lhe dar a aparência que bem entender [...]."[71]

> Livre desse obstáculo que o comprimia, o perispírito se dilata ou contrai, se transforma; numa palavra, presta-se a todas as metamorfoses, de acordo com a vontade que atua sobre ele. É graças a essa propriedade do seu envoltório fluídico que o Espírito pode fazer-se reconhecer, quando necessário, tomando a aparência exata que tinha quando vivo [encarnado], até mesmo com os defeitos corpóreos que possam servir de sinais para o reconhecerem.[72]

A *densidade* é propriedade que revela não só o peso específico do Espírito como a sua luminosidade espiritual. Os Espíritos mais adiantados se elevam facilmente na atmosfera, pelo processo de volitação e se apresentam envolvidos em uma aura de luminosidade natural, decorrente do hábito de pensar e agir de forma superior. O oposto ocorre com os Espíritos pouco evoluídos. A *penetrabilidade* é a propriedade que permite aos Espíritos atravessar barreiras materiais. A *sensibilidade* confere aos Espíritos sensações e emoções, que são muito mais profundas entre os desencarnados porque, nestes, são percebidas por todo o corpo perispiritual. Esta propriedade é facilmente percebida durante as manifestações mediúnicas pela psicofonia e pela psicografia. Em síntese:

> O fluido perispirítico constitui, pois, o traço de união entre o Espírito e a matéria. Durante sua união com o corpo, serve de veículo ao pensamento do Espírito, para transmitir o movimento às diversas partes do organismo, as quais atuam sob a impulsão da sua vontade e para fazer que repercutam no Espírito as sensações produzidas pelos agentes exteriores. Tem por fios condutores os nervos, como no telégrafo o fluido elétrico tem por condutor o fio metálico.[73]

Nas comunicações mediúnicas percebe-se perfeitamente essa ação intermediária exercida pelo perispírito entre o Espírito e o corpo, que atua como "[...] órgão de transmissão de todas as sensações". [...][74]

---

71 KARDEC, Allan. *O livro dos médiuns*. It. 56, p. 64.
72 Id. Ibid., it. 56, p. 64.
73 Id. *A gênese*. Cap. XI, it.17, p. 181-182, 2013.
74 Id. *Obras póstumas*. Primeira parte, cap. "Manifestações dos Espíritos". I. O perispírito como princípio das manifestações, it. 10, p. 66, 2009.

Em relação às que vêm do exterior, pode-se dizer que o corpo recebe a impressão; o perispírito a transmite, e o Espírito, que é o ser sensível e inteligente, a recebe. Quando o ato é de iniciativa do Espírito, pode-se dizer que o Espírito quer, o perispírito transmite e o corpo executa.[75]

A propriedade de *irradiação* ou *expansibilidade* do perispírito favorece a comunicação entre os desencarnados e encarnados, uma vez que o

> [...] perispírito não se acha encerrado nos limites do corpo, como numa caixa. Pela sua natureza fluídica ele é expansível, irradia para o exterior e forma, em torno do corpo, uma espécie de atmosfera que o pensamento e a força de vontade podem dilatar mais ou menos. Daí se segue que pessoas que não estejam corporalmente em contato podem achar-se em contato pelos seus perispíritos e permutar, à revelia delas, certas impressões e, algumas vezes, pensamentos, por meio da intuição.[76]

Um ponto de fundamental importância diz respeito à vitalidade presente no corpo físico e no perispírito dos seres vivos, que é fornecida e alimentada por um elemento abundante na natureza: *Fluido ou Princípio Vital*. Há "[...] na matéria orgânica um princípio especial, inapreensível, e que ainda não pode ser definido: *o princípio vital*. Ativo no ser vivo, esse princípio se acha *extinto* no ser morto [...]"[77] (grifo no original).

A atividade do princípio vital mantém o funcionamento dos órgãos, tecidos, células e demais estruturas orgânicas "[...] do mesmo modo que o calor, pelo movimento de rotação de uma roda". Cessada aquela ação, por motivo da morte, o princípio vital se *extingue*, como o calor, quando a roda deixa de girar [...]"[78] (grifo no original).

---

75 KARDEC, Allan. *Obras póstumas*. Primeira parte, cap. "Manifestações dos Espíritos". § I O perispírito como princípio das manifestações, it. 10, p. 66-67, 2009.
76 Id. Ibid. It. 11, p. 67.
77 Id. *A gênese*. Cap. X, it. 16, p. 168, 2013.
78 Id. Ibid., it 18, p. 168.

ATIVIDADE PRÁTICA 5: A ORAÇÃO PAI-NOSSO (1)

Objetivo do exercício

> Esclarecer porque a oração *Pai-nosso*, ensinada por Jesus, representa o modelo universal de prece.

Sugestões ao monitor

1. De forma objetiva, explicar aos participantes a importância da prece *Pai-nosso* — também denominada Prece Dominical (dominical = de *Dominus* = do Senhor) — com base nas orientações contidas em *O evangelho segundo o espiritismo*, capítulo XXVIII, item 2 e 3.

2. Pedir a um dos participantes que leia em voz a oração *Pai-nosso*, na forma como Jesus ensinou,[79] e inserida abaixo.

3. Orientá-los a se organizarem em grupos para a realização da seguinte tarefa:

    - Grupo 1: identificar na prece *Pai-nosso* manifestações de louvor e de gratidão a Deus.
    - Grupo 2: identificar pedidos expressos no mesmo texto.
    - Grupo 3: elaborar uma prece, simples e objetiva, que contenha estes elementos: louvor, gratidão e pedido.
    - Informar que, como encerramento da reunião, a prece elaborada pelo grupo três será proferida por um relator indicado pela equipe.

---

79 O NOVO Testamento. Mateus, 6:9 a 13, p. 55, 2013.

ELEMENTOS GERAIS DA PRECE: O PAI-NOSSO (Mateus, 6:9 a 13.)

Orai, portanto, assim: "Pai Nosso, que estás nos céus, santificado seja o teu nome, venha o teu reino; seja feita a tua vontade, como no céu, também sobre a terra.

O pão nosso diário, dá-nos hoje, perdoa-nos nossas dívidas, como também perdoamos nossos devedores; e não nos introduzas em tentação, mas livra-nos do mal".

REFERÊNCIAS

1. KARDEC, Allan. *A gênese*. Trad. Evandro Noleto Bezerra. 2. ed. 1. imp. Brasília: FEB, 2013.
2. _____. *O evangelho segundo o espiritismo*. Trad. Evandro Noleto Bezerra. 2. ed. 1. imp. Brasília: FEB, 2013.
3. _____. *O livro dos espíritos*. Trad. Evandro Noleto Bezerra. 4. ed. 1. imp. Brasília: FEB, 2013.
4. _____. *O livro dos médiuns*. Trad. Evandro Noleto Bezerra. 2. ed. 1. imp. Brasília: FEB, 2013.
5. _____. *Obras póstumas*. Trad. Evandro Noleto Bezerra. Rio de Janeiro: FEB, 2009.
6. O NOVO Testamento. Tradução, introdução e notas: Haroldo Dutra Dias. 1. ed. 19. imp. Brasília: FEB. 2013.

A PRECE SEGUNDO O ESPIRITISMO. A PRECE NA REUNIÃO MEDIÚNICA

A pessoa que ora transforma-se em um foco irradiador de energias salutares que beneficia a si mesma e a quem se encontra no seu campo de ação. Daí os Espíritos orientadores recomendarem, insistentemente, a oração como um bom hábito que deva ser incorporado ao cotidiano da existência.

A prece, à luz do entendimento espírita, não se restringe a mera repetição de palavras, algumas até sem sentido, que representam mais uma fórmula sacramental ou ritualística do que a união da criatura humana com o seu Criador. Importa, pois, exercitar a fé raciocinada, considerando este esclarecimento de *O livro dos médiuns*:

> Somente a superstição pode atribuir virtudes a certas palavras e somente Espíritos ignorantes ou mentirosos podem alimentar semelhantes ideias, prescrevendo fórmulas. Entretanto, em se tratando de pessoas pouco esclarecidas e incapazes de compreender as coisas puramente espirituais, pode acontecer que o uso de determinada fórmula contribua para lhes infundir confiança. Neste caso, a eficácia não está na fórmula, mas na fé, que aumenta por conta da ideia associada ao uso da fórmula. [80]

1 CONCEITO DE PRECE

A prece é um tipo de apelo que permite à pessoa entrar em comunhão com Deus, Jesus e com os Espíritos superiores a fim de receber proteção e auxílio: "[...] Sua ação será tanto maior quanto mais fervorosa e sincera for.[...]"[81]

> A prece é uma evocação. Através dela o homem entra em comunicação, pelo pensamento, com o ser a quem se dirige. [...] Podemos orar por nós mesmos

---

80 KARDEC, Allan. *O livro dos médiuns*. Segunda parte, cap. XIV, it. 176-9, p. 182, 2013.
81 Id. Ibid. Cap. IX, it 132-8-a, p. 145.

ou por outros, pelos vivos [encarnados] ou pelos mortos. As preces feitas a Deus são ouvidas pelos Espíritos encarregados da execução de suas vontades; as que se dirigem aos Espíritos bons são reportadas a Deus. Quando alguém ora a outros seres que não a Deus, está recorrendo a intermediários, a intercessores, visto que nada se faz sem a vontade de Deus.[82]

2 BENEFÍCIOS DA PRECE

O hábito de orar é de valor inestimável e deve ser exercido diariamente, pois tem o poder de criar um campo de forças positivas ao redor de quem ora, concedendo-lhe "[...] a força moral necessária para vencer as dificuldades e voltar ao caminho reto, se deste se afastou. Por esse meio, pode também desviar de si os males que atrairia pelas suas próprias faltas."[83]

> Um homem, por exemplo, vê sua saúde arruinada pelos excessos que cometeu, e arrasta, até o fim de seus dias, uma vida de sofrimento; terá o direito de queixar-se, se não obtiver a cura que deseja? Não, porque poderia ter encontrado na prece a força de resistir às tentações.[84]

Outro grande benefício proporcionado pela prece é atrair o auxílio dos Espíritos benfeitores que, pelos canais da intuição ou da inspiração, vêm sustentar o indivíduo "[...] em suas boas resoluções e inspirar-lhe bons pensamentos".[85] Estes Espíritos assemelham-se, segundo André Luiz, aos "[...] transformadores da bênção, do socorro, do esclarecimento..."[86]

> Da luz suprema à treva total, e vice-versa, temos o fluxo e o refluxo do sopro do Criador, através de seres incontáveis, escalonados em todos os tons do instinto, da inteligência, da razão, da humanidade e da angelitude, que modificam a energia divina, de acordo com a graduação do trabalho evolutivo, no meio em que se encontram. Cada degrau da vida está superlotado por milhões de criaturas. [...] A prece, qualquer que ela seja, é ação provocando a reação que lhe corresponde.[87]

---

82 KARDEC, Allan. *O evangelho segundo o espiritismo*. Cap. XXVII, it. 9, p. 316, 2013.
83 Id. Ibid. It. 11, p. 317.
84 Id. Ibid., p. 317.
85 Id. Ibid., p. 317.
86 XAVIER, Francisco Cândido. *Entre a Terra e o Céu*. Cap. 1, p.10, 2013.
87 Id. Ibid., p. 10.

3 AÇÃO DA PRECE

Quando a pessoa ora emite vibrações mentais que se espalham no fluido cósmico por intermédio das correntes do pensamento, cujos mecanismos são assim explicados pelo Codificador:

> Quando, pois, o pensamento é dirigido a um ser qualquer, na Terra ou no espaço, de encarnado para desencarnado, ou de desencarnado para encarnado, estabelece-se uma corrente fluídica entre um e outro, transmitindo o pensamento, como o ar transmite o som. A energia da corrente guarda proporção com a do pensamento e da vontade. É assim que os Espíritos ouvem a prece que lhes é dirigida, qualquer que seja o lugar onde se encontrem [...].[88]

4 A MANEIRA CORRETA DE ORAR

A oração apresenta, em geral, três características fundamentais, anunciadas no *Pai-nosso*, modelo de prece ensinada por Jesus (MATEUS, 6:9 a 13): louvor, pedido e agradecimento. Allan Kardec analisa a importância desta oração:

> [...] É o mais perfeito modelo de concisão, verdadeira obra-prima de sublimidade na simplicidade. Com efeito, sob a forma mais singela, ela resume todos os deveres do homem para com Deus, para consigo mesmo e para com o próximo. Encerra uma profissão de fé, um ato de adoração e de submissão; o pedido das coisas necessárias à vida e o princípio da caridade. Dizê-la na intenção de uma pessoa é pedir para ela o que se pediria para si mesmo.[89]

À medida que o ser humano evolui reconhece a misericórdia e bondade divinas que o cumulam de bênçãos. Com esta compreensão, as suas orações perdem o caráter de petitórios, sendo caracterizadas por louvores e agradecimentos dirigidos ao Criador. Nestas condições, o Espiritismo nos ensina qual é a maneira correta de orar, que pode ser resumida nos itens que se seguem.

- *Orar em secreto*

Na seguinte passagem do Evangelho Jesus ensina que durante a oração a pessoa deve estabelecer um momento de sintonia ou de intimidade com o Criador, no qual não cabe qualquer tipo de exibicionismo.

> E, quando orardes, não sereis como os hipócritas, que gostam de orar pondo-se de pé nas sinagogas e nas esquinas das ruas largas, para se mostrarem aos homens [...]. Tu, porém, quando orardes, entra para o teu quarto interno e,

---

88 KARDEC, Allan. *O evangelho segundo o espiritismo*. Cap. XXVII, it. 10, p. 317.
89 Id. Ibid. Cap. XXVIII, it. 2, p. 329.

tendo fechado a porta, ora ao teu Pai em segredo e teu Pai, que vê no segredo, te recompensará [...].[90]

É importante compreender que a expressão "orar em segredo", não indica posicionamento físico ou postura especial, física ou mística. Representa, apenas, o estado de comunhão com Deus, mesmo que aquele que ora esteja a sós ou rodeado de uma multidão de pessoas:

> A prece outra coisa não é senão uma conversa que entretemos com Deus, nosso Pai; com Jesus, nosso Mestre e Senhor; com nossos amigos espirituais. É diálogo silencioso, humilde, contrito, revestido de unção e fervor, em que o filho, pequenino e imperfeito, fala com o Pai, poderoso e bom, perfeição das perfeições.[91]

- *A oração deve ser simples, sem excessivo palavreado*

Jesus orienta: "Orando, porém, não useis de vãs repetições como os gentios, pois pensam que com palavreado excessivo serão atendidos. Assim, não vos assemelheis a eles, pois vosso Pai sabe do que tendes necessidade, antes de pedirdes a ele."[92] O significado desta lição do Mestre está clara, conforme explica Kardec: "[...] não é pela multiplicidade de palavras que sereis escutados, mas pela sinceridade delas".[93]

> O poder da prece está no pensamento. Não depende de palavras, nem de lugar, nem do momento em que seja feita. Pode-se, portanto, orar em toda parte e a qualquer hora, a sós ou em comum. A influência do lugar e do tempo só se faz sentir nas circunstâncias que favoreçam o recolhimento. *A prece em comum tem ação mais poderosa, quando todos os que oram se associam de coração a um mesmo pensamento e têm o mesmo objetivo*: é como se muitos clamassem juntos e em uníssono (grifo no original).[94]

- *A oração deve falar ao coração*

Martins Peralva, citando Emmanuel, assinala a importância dos sentimentos quando em oração: "A verdadeira prece não deve ser recitada, mas sentida. Não deve ser cômodo processo de movimentação de lábios, emoldurado, muita vez, por belas palavras, mas uma expressão de sentimento vivo, real, a fim de que realizemos legítima comunhão com a Espiritualidade maior."[95]

---

90 O NOVO Testamento. Mateus, 6: 5 a 6, p. 55, 2013.
91 PERALVA, Martins. *O pensamento de Emmanuel*. Cap. 25, p. 180, 2011.
92 O NOVO Testamento. Mateus, 6: 7 a 8, p. 55, 2013.
93 KARDEC, Allan. *O evangelho segundo o espiritismo*. Cap. XXVII, it. 4, p. 314, 2013.
94 Id. Ibid., it. 15, p. 319.
95 PERALVA, Martins. Op. Cit. Cap. 25, p. 182, 2011.

- *A oração coletiva deve ser inteligível*

A prece em conjunto possui força poderosa, conforme foi anteriormente anunciado, mas, para isto, é preciso ser realizada corretamente. O primeiro ponto a ser lembrado é que deve ser inteligível, como alerta o apóstolo Paulo, em sua *Primeira epístola aos coríntios*:

> [...] se vossa linguagem não se exprime em palavras inteligíveis, como se há de compreender o que dizeis? Estareis falando ao vento. Existem no mundo não sei quantas espécies de linguagem, e nada carece de linguagem. Ora, se não conheço a força da linguagem, serei como um bárbaro para aquele que fala e aquele que fala será como um bárbaro para mim. [...] Se oro em línguas, meu espírito está em oração, mas a minha inteligência nenhum fruto colhe. Que fazer, pois? Orarei com o meu Espírito, mas hei de orar também com a minha inteligência.[96]

"A prece só tem valor" — acrescenta Kardec — "pelo pensamento que lhe está conjugado. Ora, é impossível conjugar um pensamento qualquer àquilo que não se compreende, pois o que não se compreende não pode tocar o coração. [...]".[97] E prossegue em suas argumentações:

> Para a imensa maioria das criaturas, as preces feitas numa língua que elas não entendem não passam de um amontoado de palavras que nada dizem ao espírito. Para que a prece toque, é preciso que cada palavra desperte uma ideia; ora, a palavra que não é entendida não pode despertar ideia nenhuma. Será repetida como simples fórmula [...]. Muitos oram por dever, alguns, até, por obediência aos usos, pelo que se julgam quites, desde que tenham dito uma oração determinado número de vezes e em tal ou tal ordem. Deus lê no fundo dos corações; vê o pensamento e a sinceridade. Julgá-lo, pois, mais sensível à forma do que ao fundo é rebaixá-lo.[98]

Para o Espiritismo, portanto, a prece realizada nas reuniões deve ser simples, objetiva e proferida em uma linguagem que facilite o entendimento de todos.

- *A oração e as provações da vida*

As provas e as expiações acontecem em decorrência da lei de causa e efeito, visto que os nossos sofrimentos resultam das "[...] nossas infrações às leis de Deus e que, se as observássemos regularmente, seríamos completamente felizes."[99] A prece, contudo, tem o poder de amenizá-las,

---

96 BÍBLIA de Jerusalém. I Coríntios, 14:9 a 15, p. 2011, 2013.
97 KARDEC, Allan. *O evangelho segundo o espiritismo*. Cap. XXVII, it. 17, p. 320, 2013.
98 Id. Ibid., p. 320.
99 Id. Ibid. It.12, p. 317.

tornando suportáveis as agruras da existência, ainda que Jesus tenha afirmado "[...] tudo quanto orardes e pedirdes, crede que o recebestes, e assim será para vós."[100]

> Seria ilógico concluir desta máxima: "Seja o que for que peçais na prece, crede que vos será concedido", que basta pedir para obter, como seria injusto acusar a Providência se não atender a toda súplica que lhe é feita, uma vez que ela sabe, melhor do que nós, o que é para o nosso bem. É assim que procede um pai criterioso que recusa ao filho o que seja contrário aos seus interesses. O homem, em geral, só vê o presente. Ora, se o sofrimento é útil à sua felicidade futura, Deus o deixará sofrer, como o cirurgião deixa que o doente sofra as dores de uma operação que lhe trará a cura.[101]

Ante os desafios da vida é importante que, ao orarmos, peçamos a Deus confiança, coragem, paciência e resignação, a fim de superarmos os obstáculos ou as dores das provações. Os bons Espíritos virão em nosso auxílio, não há dúvida, inspirando-nos boas ideias e sentimentos, sem contudo, impedir o cumprimento do planejamento reencarnatório.[102]

Aprendemos, dessa forma, mesmo perante as maiores dificuldades, a fazer a nossa parte, recebendo, em contrapartida, toda proteção e amparo de Deus.

> Ele assiste os que se ajudam a si mesmos, conforme esta máxima: "Ajuda-te, que o céu te ajudará", e não os que tudo esperam de um socorro estranho, sem fazer uso das próprias faculdades. Entretanto, na maioria das vezes, o que o homem quer é ser socorrido por um milagre, sem nada fazer de sua parte (aspas no original).[103]

- *Oração e o perdão das ofensas*

Ainda que sejamos catalogados como Espíritos imperfeitos, é importante que, pelo menos durante a oração, demonstremos o nosso esforço de melhoria espiritual. Lembrar que devemos aprender a perdoar, purificar a alma de qualquer sentimento infeliz e agir segundo os preceitos da caridade, como ensina Jesus: "E, quando estiverdes orando, perdoai, se tendes algo contra alguém, para que também vosso Pai, que está nos céus, vos perdoe as vossas transgressões [...]."[104]

---

100 O NOVO Testamento. Marcos, 11:24, p.216, 2013.
101 KARDEC, Allan. *O evangelho segundo o espiritismo*. Cap. XXVII, it. 7, p. 315, 2013.
102 Id. Ibid., p. 315.
103 Id. Ibid. Cap XXVII, it. 7. p. 315, 2013.
104 O NOVO Testamento. Marcos, 11:25, p.216, 2013.

5 A PRECE NA REUNIÃO MEDIÚNICA

O Espiritismo aconselha o hábito da prece em todas as suas reuniões, não somente nas mediúnicas. E há uma razão de ser para esta prática: "Se o Espiritismo proclama a sua utilidade, não é por espírito de sistema, mas porque a observação permitiu constatar a sua eficácia e o modo de ação. [...]"[105]

Por outro lado, não devemos esquecer o ensinamento do Cristo: "pois onde dois ou três estão reunidos em meu nome, aí estou no meio deles."[106]

> Estarem reunidas, em nome de Jesus, duas, três ou mais pessoas, não quer dizer que basta que se achem materialmente juntas. É preciso que o estejam espiritualmente, pela comunhão de intenção e de ideias para o bem.
>
> [...] Pelas palavras acima, Jesus quis mostrar o efeito da união e da fraternidade. O que o atrai não é o maior ou menor número de pessoas que se reúnem, pois, em vez de duas ou três, poderia ter dito dez ou vinte, mas o sentimento de caridade que reciprocamente as anime.[...][107]

Neste sentido, vale destacar que a reunião mediúnica "[...] é um ser coletivo, cujas qualidades e propriedades são a resultante das de seus membros, formando uma espécie de feixe. Ora, quanto mais homogêneo for esse feixe, tanto mais força terá."[108]

A prece não só harmoniza a reunião mediúnica, mas favorece a sua homogeneidade por tornar o ambiente favorável à manifestação dos Espíritos, sobretudo dos mais necessitados de socorro, pois, "[...] chegando a um meio que lhe seja completamente simpático, o Espírito se sentirá mais à vontade."[109]

Por outro lado, a prece beneficia o entendimento dos Espíritos que sofrem e dos que fazem sofrer, como os obsessores. Às vezes, o diálogo com determinados Espíritos é muito penoso, sobretudo quando se encontram presos a ideias fixas, ou a acontecimentos que lhes produziram graves traumas, como é a situação comum dos suicidas. Nestas condições, a prece não só é indicada como representa um ato de caridade, de amor ao próximo.

> Os Espíritos sofredores reclamam preces e estas lhes são proveitosas, porque, verificando que há quem pense neles, sentem-se menos abandonados, menos

---

105 KARDEC, Allan. *Revista Espírita*: Jornal de Estudos Psicológicos. Ano 1866, p. 19.
106 O NOVO Testamento. Mateus, 18:20, p. 110, 2013.
107 KARDEC, Allan. *O evangelho segundo o espiritismo*. Cap. XXVIII, it. 5, p. 334-335, 2013.
108 Id. Ibid. *O livro dos médiuns*. Segunda parte, cap. XXIX, it. 331, p. 364, 2013.
109 Id. Ibid., p. 364.

infelizes. Mas, a prece tem sobre eles uma ação mais direta: reanima-os, incute-lhes o desejo de se elevarem pelo arrependimento e pela reparação e pode desviar-lhes o pensamento do mal. É nesse sentido que a prece pode não apenas aliviar, como abreviar seus sofrimentos.[110]

---

110 KARDEC, Allan. *O evangelho segundo o espiritismo*. Cap. XXVII, it. 18, p. 320, 2013.

ATIVIDADE PRÁTICA 6: A ORAÇÃO PAI-NOSSO (2)

Objetivos do exercício

> Retirar da oração *Pai-nosso*, palavras ou frases que revelam simplicidade, concisão, clareza de ideias e bons sentimentos.

> Explicar porque, na oração, predomina o hábito de endereçar pedidos a Deus, em detrimento do louvor e do agradecimento, sobretudo.

Sugestões ao monitor

1. Pedir aos participantes que leiam, individualmente, a oração *Pai-nosso* (inserida a seguir), e, após, formem pequenos grupos que têm como incumbência retirar, do texto evangélico, palavras ou frases que indiquem simplicidade, concisão, clareza de ideias e bons sentimentos.

2. Orientá-los a apresentar em plenário as conclusões do trabalho em grupo.

3. Em seguida, promover um debate para análise do hábito que temos de pedir mais do que agradecer a Deus, ou mesmo emitir louvores ao Pai celestial.

4. Solicitar a um dos participantes que, com base no estudo realizado, faça uma prece, como encerramento da reunião, na qual conste apenas agradecimentos.

O PAI-NOSSO[111]

Orai, portanto, assim: "Pai Nosso, que estás nos céus, santificado seja o teu nome, venha o teu reino; seja feita a tua vontade, como no céu, também sobre a terra.

O pão nosso diário, dá-nos hoje, perdoa-nos nossas dívidas, como também perdoamos nossos devedores; e não nos introduzas em tentação, mas livra-nos do mal".

---

111 O NOVO Testamento. Mateus, 6:9 a 13, p. 55, 2013.

REFERÊNCIAS

1. KARDEC, Allan. *O evangelho segundo o espiritismo*. Trad. Evandro Noleto Bezerra. 2. ed. 1. imp. Brasília: FEB, 2013.
2. _____. *O livro dos espíritos*. Trad. Evandro Noleto Bezerra. 4. ed. 1. imp. Brasília: FEB, 2013.
3. _____. *O livro dos médiuns*. Trad. Evandro Noleto Bezerra. 2. ed. 1. imp. Brasília: FEB, 2013.
4. _____. *Revista Espírita*: Jornal de Estudos Psicológicos. Ano 9, 1866. Trad. Evandro Noleto Bezerra. 1. ed. Rio de Janeiro: FEB, 2004.
5. BÍBLIA de Jerusalém. Nova edição, revista e ampliada. Diversos tradutores. São Paulo: Paulus, 2002.
6. O NOVO Testamento. Tradução, introdução e notas: Haroldo Dutra Dias. 1. ed. 1. imp. Brasília: FEB. 2013.
7. PERALVA, Martins. *O pensamento de Emmanuel*. 9. ed. Rio de Janeiro: FEB, 2011.
8. XAVIER, Francisco Cândido. *Entre a Terra e o Céu*. Pelo Espírito André Luiz. 27. ed. 1. imp. Brasília: FEB, 2013.

CLASSIFICAÇÃO DA MEDIUNIDADE: EFEITOS FÍSICOS

É importante ter entendimento claro e abrangente relacionado a dois conceitos usuais à prática espírita: o que é *médium* — instrumento humano de que se servem os Espíritos desencarnados para se comunicarem —, e o que é *mediunidade*, a faculdade psíquica inerente ao ser humano, manifestada em diferentes graus e tipos.

> Médium é toda pessoa que sente, num grau qualquer, a influência dos Espíritos. Essa faculdade é inerente ao homem e, por conseguinte, não constitui um privilégio exclusivo. Por isso mesmo, raras são as pessoas que não possuam alguns rudimentos dessa faculdade. Pode-se, pois, dizer que todos são mais ou menos médiuns. Usualmente, porém, essa qualificação só se aplica àqueles em quem a faculdade se mostra bem caracterizada e se traduz por efeitos patentes, de certa intensidade [...].[112]

Enquanto faculdade psíquica, a mediunidade acompanha a evolução intelectual e moral do Espírito, e se manifesta em qualquer plano de vida, físico ou espiritual. Como instrumento de melhoria do ser humano, entre tantos disponibilizados pelo Criador, a mediunidade pode desenvolver-se gradualmente, ao longo das reencarnações sucessivas, ou adquirir a feição de compromisso ou de missão, previstos no planejamento reencarnatório.

Neste aspecto, a proposta do Espiritismo é a de esclarecer e educar o médium, à luz do conhecimento espírita presente nas obras codificadas por Allan Kardec, assim como a vivência do Evangelho de Jesus. Jesus e Kardec representam os fundamentos da prática mediúnica, em particular, e do Espiritismo em geral, conforme a feliz expressão de Emmanuel: "Em suma, diante do acesso aos mais altos valores da vida, Jesus e Kardec estão perfeitamente conjugados pela Sabedoria divina. Jesus, a porta. Kardec, a chave."[113]

---

112 KARDEC, Allan. *O livro dos médiuns*. Segunda parte, cap. XIV, it. 159, p. 169, 2013.
113 XAVIER, Francisco Cândido. *Opinião espírita*. Cap. 2, p. 25.

Outro ponto, não menos importante, é o fato de não existir um tipo de mediunidade mais importante que outro. Todos são úteis e necessários por serem concessões divinas voltadas para a edificação do ser humano, como ensina o apóstolo Paulo:

> A propósito dos dons do Espírito, irmãos, não quero que estejais na ignorância. [...] Há diversidade de dons, mas o Espírito é o mesmo; diversidade de ministérios, mas o Senhor é o mesmo; diversidade de modos de ação, mas é o mesmo Deus que realiza tudo em todos. Cada um recebe o dom de manifestar o Espírito para a utilidade de todos. A um, o Espírito dá a mensagem de sabedoria, a outro, a palavra de ciência segundo o mesmo Espírito; a outro o mesmo Espírito dá a fé; a outro ainda, o único e mesmo Espírito concede o dom das curas; a outro, o poder de fazer milagres; a outro, a profecia; a outro, o discernimento dos espíritos; a outro, o dom de falar em línguas; a outro ainda, o dom de as interpretar. Mas é o único e mesmo Espírito que isso tudo realiza, distribuindo cada um os seus dons, conforme lhe apraz.[114]

Segundo a Codificação Espírita, a mediunidade é classificada de acordo com a natureza dos *efeitos* que a manifestação dos Espíritos produzem: *físicos* e *inteligentes* (ou intelectuais).

Mediunidade de efeitos físicos

> Dá-se o nome de manifestações físicas às que se traduzem por efeitos sensíveis, tais como ruídos, movimentos e deslocamento de corpos sólidos.[...] O efeito mais simples, e um dos primeiros que foram observados, consiste no movimento circular impresso a uma mesa. Esse efeito igualmente se produz com qualquer outro objeto, mas sendo a mesa, por sua comodidade, o móvel mais utilizado, a designação de *mesas girantes* prevaleceu, para indicar essa espécie de fenômenos[115] (grifo no original).

A mediunidade de efeitos físicos, muito comum à época de Kardec, abrange uma vasta categoria de fenômenos que podem ser produzidos espontaneamente, à revelia do médium, ou com a colaboração consciente deste. Os médiuns de efeitos físicos são fornecedores naturais de *ectoplasma*, também chamada de força nervosa por Allan Kardec, é um fluido vital, substância considerada um subproduto do fluido cósmico universal. O Espírito André Luiz presta algumas informações a respeito do ectoplasma, substância imprescindível às materializações e transportes de objetos e de Espíritos.

> O veículo físico [...] começou a expelir o ectoplasma, qual pasta flexível, à maneira de uma geleia viscosa e semilíquida, [expelida] através de todos os

---

114 BÍBLIA de Jerusalém. I Coríntios,12:1; 4 a 11, p. 2007-2008, 2002.
115 KARDEC, Allan. *O livro dos médiuns*. Segunda parte, cap. II, it. 60, p. 67, 2013.

poros e, com mais abundância, pelos orifícios naturais, particularmente da boca, das narinas e dos ouvidos, com elevada percentagem a exteriorizar-se igualmente do tórax e das extremidades dos dedos. A substância, caracterizada por um cheiro especialíssimo, que não conseguimos descrever, escorria em movimentos reptilianos, acumulando-se na parte inferior do organismo medianímico, onde apresentava o aspecto de grande massa protoplásmica, viva e tremulante.[116]

As manifestações físicas mais simples são os *ruídos* (*noises* em inglês), mas há muitos outros: pancadas em móveis, portas ou ecoadas no ar; surgimento, deslocamento e desaparecimento de objetos; escrita direta em papel, parede, pedras, etc.; sons e vozes audíveis em determinado recinto ou na atmosfera; materialização de Espíritos e de objetos.

Ruídos, pancadas e pequenos deslocamentos de objetos são manifestações simples, mas que devem ser averiguados com cuidado: "É principalmente neste caso que se deve temer a ilusão, já que uma porção de causas naturais pode produzi-los."[117]

A partir desses efeitos físicos simples surgiram, no passado, dois tipos de linguagem utilizados na comunicação regular dos Espíritos com os encarnados: *tiptologia* — ou linguagem das pancadas — e a sematologia — ou linguagem dos sinais.[118] A tiptologia, por sua vez, é classificada em *tiptologia basculante* e *tiptologia alfabética*.

> A *primeira* [...] consiste no movimento da mesa, que se levanta de um só lado e cai batendo com um dos pés. Basta para isto que o médium ponha a mão na sua borda. [...] Tendo convencionado, por exemplo, que uma pancada significará *sim*, e duas *não* — ou vice-versa, o que é indiferente — o experimentador dirigirá ao Espírito as perguntas que quiser (grifo no original).[119]

A *tiptologia alfabética* é um aperfeiçoamento da anterior.

> Trata-se de uma técnica em que as letras do alfabeto são indicadas mediante um número convencional de pancadas, sendo então possível obter-se palavras, frases e até discursos inteiros. De acordo com o método adotado, a mesa dará tantas pancadas quantas forem necessárias para indicar cada letra, isto é, uma pancada para o *a*, duas pancadas para o *b*, e assim por diante.[120]

---

116 XAVIER, Francisco Cândido. *Nos domínios da mediunidade*. Cap. 28, p. 261 e 262, 2011.
117 KARDEC, Allan. *O livro dos médiuns*. Segunda parte, cap. V, it. 83, p. 87/88, 2013.
118 Nota da organizadora: Veja em *O livro dos médiuns*, Segunda parte, cap. XI, informações complementares.
119 KARDEC, Allan. Op. Cit. Cap. XI, it.139, p. 153, 2013.
120 Id. *O livro dos médiuns*. Segunda parte, cap. XI, it. 141, p. 155, 2013.

Ambas as modalidades estão totalmente em desuso no meio espírita atual por serem lentas e fastidiosas. Foram substituídas pela psicografia, que é a prática mediúnica de efeito inteligente. Quanto às demais manifestações de efeitos físicos temos:

Pneumatografia ou escrita direta:[121] "é a escrita produzida diretamente pelo Espírito, sem nenhum intermediário. Difere da *psicografia* por ser esta a transmissão do pensamento do Espírito, mediante a escrita feita com a mão do médium".

Pneumatofonia ou voz direta: "Já que os Espíritos podem produzir ruídos e pancadas, podem igualmente fazer que se ouçam gritos de toda espécie e sons vocais que imitam a voz humana, tanto ao nosso lado, como no ar".[122]

Materialização de Espíritos e transporte de objetos: são fenômenos que surgiram com mais intensidade logo após a desencarnação de Kardec (1869) e que foram investigados, exaustivamente, por cientistas do passado. O cientista britânico William Crookes sistematizou tais fenômenos, sobretudo pela análise das materializações do Espírito Katie King (ou Anne Morgan, em reencarnação anterior), ocorridas pela mediunidade de Florence Cook. Veja, a propósito, o livro *Fatos espíritas*, de William Crookes, FEB. Estes temas serão objeto de estudo mais aprofundado no Programa II do Curso.

---

121 KARDEC, Allan. *O livro dos médiuns*. Segunda parte, Cap. XII, it. 146, p. 159.
122 Id. Ibid. It. 150, p. 162.

ATIVIDADE PRÁTICA 7: A GRATUIDADE DA PRÁTICA MEDIÚNICA

Objetivos do exercício
> Identificar a orientação espírita quanto à prática mediúnica.
> Exercitar a aplicação do passe entre os participantes.

Sugestões ao monitor
1. Pedir aos participantes que façam a leitura do texto de Kardec, inserido a seguir, e, logo após, troquem opiniões a respeito das ideias expressas pelo codificador
2. Promover um debate, em plenária, em torno do assunto analisado, destacando porque o Espiritismo não aprova qualquer forma de pagamento relacionado à prática mediúnica, inclusive no que diz respeito à transmissão do passe.
3. Em seguida, realizar a prece de encerramento, ou pedir que alguém o faça.

MEDIUNIDADE GRATUITA[123]

A mediunidade séria não pode ser e jamais será uma profissão, não só porque se desacreditaria moralmente [...], como também porque um obstáculo material a isso se opõe. É que se trata de uma faculdade essencialmente móvel, fugidia e variável, com cuja perenidade ninguém pode contar. [...]

---

123 KARDEC, Allan. *O evangelho segundo o espiritismo*. Cap. XXVI, it. 9, p. 310, 2013.

REFERÊNCIAS

1   KARDEC, Allan. *O evangelho segundo o espiritismo*. Trad. Evandro Noleto Bezerra. 2. ed. 1. imp. Brasília: FEB, 2013.

2   _____. *O livro dos médiuns*. Trad. Evandro Noleto Bezerra. 2. ed. 1. imp. Brasília: FEB, 2013.

3   BÍBLIA de Jerusalém. Nova edição, revista e ampliada. Diversos tradutores. São Paulo: Paulus, 2002.

4   O NOVO Testamento. Tradução, introdução e notas: Haroldo Dutra Dias. 1. ed. 1. imp. Brasília: FEB. 2013.

5   XAVIER, Francisco Cândido. *Opinião espírita*. Pelos Espíritos Emmanuel e André Luiz. 5. ed. Uberaba: CEC, 1982.

6   _____. *Os missionários da luz*. Pelo Espírito André Luiz. 45. ed. 1. Imp. Brasília: FEB, 2013.

7   _____. *Nos domínios da mediunidade*. Pelo Espírito André Luiz. 34. ed. 4. reimp. Rio de Janeiro: FEB, 2011.

CLASSIFICAÇÃO DA MEDIUNIDADE: EFEITOS INTELIGENTES

A mediunidade de efeitos inteligentes ou intelectuais exige maior elaboração mental por parte do médium que age como um intérprete das ideias transmitidas pelos Espíritos, como consta em *O livro dos médiuns*:

> "O Espírito do médium é o intérprete, porque está ligado ao corpo que serve para falar e por ser necessária uma cadeia entre vós e os Espíritos que se comunicam, como é preciso um fio elétrico para transmitir uma notícia a grande distância, desde que haja, na extremidade do fio, uma pessoa inteligente que a receba e transmita"[124] (aspas no original).

Caso o médium não possua boas condições morais nem bom preparo doutrinário espírita poderá interferir na mensagem, invalidando-a: "[...] se não houver afinidade entre eles, o Espírito do médium pode alterar as respostas e assimilá-las às suas próprias ideias e inclinações. Porém, *não exerce influência sobre os Espíritos comunicantes*, autores das respostas. É apenas um mau intérprete"[125] (grifo no original).

É óbvio que a interpretação do pensamento dos Espíritos, como qualquer outra habilidade humana, desenvolve-se com o tempo, mas está diretamente relacionada ao empenho do médium em querer ampliar o seu conhecimento e de transformar-se em pessoa melhor. Os Espíritos sérios procuram, então, os médiuns mais confiáveis, os que lhes oferecem as condições encontradas no bom intérprete. Esclarecem os orientadores espirituais:

> "Procuram o intérprete que mais simpatize com eles e que exprima com mais exatidão os seus pensamentos. Não havendo simpatia entre eles, o Espírito do médium é um antagonista que oferece certa resistência, tornando-se um

---

124 KARDEC, Allan. *O livro dos médiuns*. Segunda parte, cap. XIX, it. 223, subit. 6, p. 226 e 227, 2013.
125 Id. Ibid. It. 223-7 p. 7, p. 227.

intérprete de má qualidade e muitas vezes infiel. É o que acontece entre vós, quando a opinião de um sábio é transmitida por um homem estouvado ou alguém de má-fé"[126] (aspas no original).

Mediunidade de efeitos intelectuais/inteligentes

Faz parte dessa categoria uma variedade de médiuns, mas no âmbito deste Roteiro, serão destacados apenas os tipos que predominam nas reuniões mediúnicas usuais da casa espírita, quais sejam: médiuns de intuição e inspiração; de psicofonia, psicografia, audiência e vidência. O aprofundamento do assunto ocorrerá no Programa II do Curso.

• *Médiuns intuitivos*: trata-se de uma faculdade comum a todos os seres humanos, que neles se revela mais ou menos desenvolvida conforme as experiências passadas e atuais do Espírito. Pode ser definida como uma percepção fora dos sentidos corporais, ou seja, de natureza extrassensorial, manifestada na forma de uma ideia ou imagem que cruza o cérebro. Em geral, a percepção é muito sutil, de forma que na maioria das vezes não é valorizada pela própria pessoa. Sendo, contudo, amplamente desenvolvida pelo exercício, a intuição é uma ferramenta inestimável do processo evolutivo do indivíduo, assim como na prática mediúnica.

A propósito, o Espírito André Luiz assinala que a intuição é a mediunidade inicial da espécie humana, surgida nos primórdios da evolução humana.

> Essa obra de permuta, no entanto, foi iniciada no mundo sem qualquer direção consciente, porque, pela natural apresentação da própria aura, os homens melhores atraíram para si os Espíritos humanos melhorados, [...] e os homens rebeldes à Lei divina aliciaram a companhia de entidades da mesma classe [...]. Pelas ondas de pensamento a se enovelarem umas sobre as outras, segundo a combinação de frequência e trajeto, natureza e objetivo, encontraram-se mentes semelhantes entre si, formando núcleos de progresso em que homens nobres assimilaram as correntes mentais dos Espíritos Superiores para gerar trabalho edificante e educativo, ou originando processos vários de simbiose em que almas estacionárias se enquistaram mutuamente, desafiando debalde os imperativos da evolução [...].[127]

Em termos práticos, sabe-se que os bons dialogadores (doutrinadores ou esclarecedores), os que na reunião mediúnica conversam com os Espíritos comunicantes, possuem a mediunidade intuitiva bem desenvolvida. Mas

---

126 KARDEC, Allan. *O livro dos médiuns*. Segunda parte, cap. XIX, it. 223, p. 8, p. 227, 2013.
127 XAVIER, Francisco Cândido; VIEIRA, Waldo. *Evolução em dois mundos*. Primeira parte, cap. 17, p. 133.

como a intuição é a faculdade básica e primordial, ela sempre estará presente nas demais mediunidades de efeitos inteligentes (psicofonia, psicografia, vidência, etc.).

- *Médiuns audientes*: "São os que ouvem a voz dos Espíritos [...]; trata-se de uma voz interior que se faz ouvir no foro íntimo das pessoas. De outras vezes é uma voz exterior, clara e distinta, qual a de uma pessoa viva [encarnada]".[128]

A "voz interior" da frase caracteriza uma percepção mental (um som ou palavras que cruzaram o cérebro), própria da mediunidade audiente intuitiva. Já a expressão "voz exterior, clara e nítida" indica que além da percepção mental, propriamente dita, ocorreu uma atuação nos órgãos da audição. Nesta situação, ocorreram, simultaneamente, um efeito inteligente (percepção mental) e um efeito físico (ação no órgão da audição).

> Os médiuns audientes podem, assim, conversar com os Espíritos. Quando têm o hábito de se comunicar com determinados Espíritos, eles os reconhecem imediatamente pela natureza da voz. [...] Esta faculdade é muito agradável, quando o médium só ouve Espíritos bons, ou somente aqueles por quem chama. Entretanto, o quadro muda por completo quando um Espírito mau se agarra a ele, fazendo-lhe ouvir a cada minuto as coisas mais desagradáveis e não raro as mais inconvenientes.[129]

- *Médiuns falantes ou psicofônicos*: nestes, o Espírito comunicante "[...] atua sobre os órgãos da palavra, como atua sobre a mão dos médiuns escreventes. [...]"[130]

É uma faculdade muito útil na comunicação de Espíritos necessitados de auxílio, porque, além de viabilizar o atendimento direto por meio do diálogo fraterno e esclarecedor, é possível envolver o sofredor em vibrações harmônicas do passe e da prece. Da mesma forma que os médiuns audientes, os psicógrafos podem captar as ideias do Espírito comunicante intuitivamente. Nesta situação, o transe mediúnico é leve (superficial), a comunicação é mais direta, pois o médium não se deixa envolver tanto pelas vibrações desarmônicas do sofredor, auxiliando-o como o faria, por exemplo, uma enfermeira junto ao enfermo. Os médiuns psicofônicos intuitivos são numerosos e predominam nas reuniões mediúnicas espíritas.

---

128 KARDEC, Allan. *O livro dos médiuns*. Segunda parte, cap. XIV, it.165, p. 174, 2013.
129 Id. Ibid.
130 Id. Ibid. It. 166, p. 174-175.

Quando a manifestação psicofônica é mais intensa (transe menos superficial), o médium sofre junto com o sofredor e, não raro, deixa-se impregnar pelas vibrações desarmônicas que, sendo absorvidas, são somatizadas, mesmo após o encerramento da comunicação e afastamento do Espírito. Contudo, com a educação da faculdade mediúnica, o estudo contínuo e o esforço de melhoria moral, o médium aprende a neutralizar as vibrações, auxiliando eficazmente o necessitado espiritual.

Se o transe mediúnico é bem mais profundo, o medianeiro entra em um estado de sonambulismo, e, ainda que não esteja dormindo, não se recorda do que transmitiu durante a manifestação do Espírito. Nessas condições, pouco comuns atualmente, o

> médium falante geralmente se exprime sem ter consciência do que diz e muitas vezes diz coisas completamente estranhas às suas ideias habituais, aos seus conhecimentos e, até mesmo, fora do alcance de sua inteligência. Embora se ache perfeitamente acordado e em estado normal, raramente se lembra do que disse. [...] Nem sempre, porém, a passividade do médium falante é tão completa assim. Alguns têm intuição do que dizem, no momento exato em que pronunciam as palavras.[131]

- *Médiuns psicógrafos:* são pessoas que transmitem pela escrita mensagens dos Espíritos. Em *O livro dos médiuns*, capítulo XIII, o Codificador classifica a mediunidade de psicografia em dois tipos: a) *psicografia indireta* — quando o Espírito utiliza um instrumento que não seja a mão do médium. Nesta situação, trata-se de mediunidade de efeito físico; b) *psicografia direta* ou *manual* — quando o Espírito utiliza a mão do médium.[132] Allan Kardec pondera, também, que de

> [...] todos os meios de comunicação, a escrita manual é o mais simples, mais cômodo e, sobretudo, mais completo. [...] Pela facilidade com que podem exprimir-se, eles [os Espíritos] nos revelam seus mais íntimos pensamentos e nos facultam apreciá-los em seu justo valor. Além disso, entre as faculdades mediúnicas, a de escrever é a mais suscetível de ser desenvolvida pelo exercício.[133]

A psicografia pode se manifestar de forma mecânica, intuitiva e semimecânica.

1. Médiuns psicógrafos mecânicos

> O Espírito atua diretamente sobre a mão do médium, ele lhe dá uma impulsão completamente independente da vontade deste último. Enquanto o Espírito tiver alguma coisa a dizer, a mão se move sem interrupção e à revelia do médium, parando somente quando o ditado termina.[134]

---

131 KARDEC, Allan. *O livro dos médiuns*. Segunda parte, cap. XIV, it. 166, p. 175, 2013.
132 Id. Ibid. It. 157, p. 167.
133 Id. Ibid. Cap. XV, it. 178, p. 183.
134 Id. Ibid. It. 180, p. 184.

2. Médiuns psicógrafos intuitivos

> A transmissão do pensamento também se dá por meio do Espírito do médium, ou melhor, de sua alma, já que designamos por esse nome o Espírito encarnado. O Espírito comunicante não atua sobre a mão para fazê-la escrever; não a toma, nem a guia. Atua sobre a alma, com a qual se identifica. A alma do médium, sob esse impulso, dirige sua mão e a mão dirige o lápis. [...] É ela quem recebe o pensamento do Espírito comunicante e o transmite. Nessa situação, o médium tem consciência do que escreve, embora não exprima o seu próprio pensamento.[135]

3. Médiuns psicógrafos semimecânicos

> No médium puramente mecânico, o movimento da mão independe da vontade; no médium intuitivo, o movimento é voluntário e facultativo. O médium semimecânico participa de ambos esses gêneros. Sente que sua mão é impulsionada contra sua vontade, mas, ao mesmo tempo, tem consciência do que escreve, à medida que as palavras se formam. No primeiro, o pensamento vem depois do ato da escrita; no segundo, antes da escrita; no terceiro, ao mesmo tempo que a escrita. Estes últimos médiuns são os mais numerosos.[136]

Nas reuniões mediúnicas espíritas, os Espíritos orientadores se manifestam mais usualmente pela psicografia e pela psicofonia. Esta última, contudo, é mediunidade prioritária para atendimento aos Espíritos sofredores, como já foi dito.

- *Médiuns videntes*: São dotados da faculdade de ver os Espíritos [...] em estado normal, quando perfeitamente acordados, e conservam a lembrança precisa do que viram. Outros só a possuem em estado sonambúlico, ou próximo do sonambulismo. É raro que esta faculdade seja permanente [...]. Podemos incluir, na categoria dos médiuns videntes, todas as pessoas dotadas de dupla vista. A possibilidade de ver os Espíritos quando sonhamos não deixa de ser uma espécie de mediunidade, mas não constitui, propriamente falando, mediunidade de vidência. [...] O médium vidente julga ver com os olhos, como os que são dotados de dupla vista; mas, na realidade, é a alma quem vê, razão pela qual eles tanto veem com os olhos fechados, como com os olhos abertos. [137]

- *Médiuns sonambúlicos*: São os que, sob transe profundo, transmitem comunicações dos Espíritos. "O sonâmbulo age sob a influência do seu

---

135 KARDEC, Allan. *O livro dos médiuns*. Segunda parte, cap. XV, It. 180, p. 184, 2013.
136 Id. Ibid. Cap. XV, It. 181, p. 185.
137 Id. Ibid. Cap. XIV, it. 167, p. 175.

próprio Espírito; é a sua alma que, nos momentos de emancipação, vê, ouve e percebe. [...]"[138]

O indivíduo considerado pura e simplesmente sonâmbulo não é, propriamente, médium no sentido estrito da palavra. O sonâmbulo possui a faculdade anímica de sair do corpo ("desdobrar-se"), presenciar acontecimentos, conversar com Espíritos e transmitir informações que julgar pertinentes. O médium sonambúlico age como intermediário dos Espíritos quando se encontra parcialmente desligado do corpo físico, fornecendo aos circunstantes as informações que lhe foram dadas pelos comunicantes espirituais.

> São duas ordens de fenômenos que frequentemente se acham reunidos. O sonâmbulo age sob a influência do seu próprio Espírito; é sua alma que, nos momentos de emancipação, vê, ouve e percebe, fora dos limites dos sentidos. Ele tira de si mesmo o que expressa. Em geral, suas ideias são mais justas do que no estado normal, e mais amplos os seus conhecimentos, porque sua alma está livre. [...] O médium, ao contrário, é instrumento de uma inteligência estranha; é passivo, e o que diz não vem dele. Em resumo, o sonâmbulo exprime o seu próprio pensamento, ao passo que o médium expressa o pensamento de outrem. [...][139]

Como faculdade psíquica do ser humano, a mediunidade se desenvolve paulatinamente: "[...] se manifesta nas crianças e nos velhos, em homens e mulheres, sejam quais forem o temperamento, o estado de saúde e o grau de desenvolvimento intelectual e moral. Só existe um meio de se comprovar sua existência: é experimentar",[140] afirma Allan Kardec.

É importante considerar que, se a mediunidade faz parte do programa reencarnatório, é totalmente improdutivo forçar o desenvolvimento de uma mediunidade que não foi incorporada ao psiquismo do Espírito ou que ainda se revela incipiente. É medida de prudência deixar que a faculdade se manifeste espontaneamente.

---

138 KARDEC, Allan. *O livro dos médiuns*. Segunda parte, cap. XIV, it. 172, p. 178, 2013.
139 Id. Ibid. Cap. XIV, it. 172, p. 178.
140 Id. Ibid. Cap XVII, it. 200, p. 205.

ATIVIDADE PRÁTICA 8: APLICAÇÃO DO PASSE ENTRE ENCARNADOS: A QUALIDADE ESSENCIAL

Objetivos do exercício

> Explicar a importância da boa vontade na transmissão do passe entre encarnados.

> Realizar aplicação do passe entre os participantes da reunião.

Sugestões ao monitor

1. Orientar os participantes a ler, silenciosa e individualmente, o texto ditado pelo Espírito André Luiz, abaixo relacionado.

2. Com base nas ideias do autor espiritual e nos conhecimentos até então adquiridos sobre o passe, promover um debate sobre a importância e os limites da boa vontade na transmissão do passe pelos encarnados.

3. Realizar breves exercícios de passe envolvendo os participantes.

4. Solicitar a um dos participantes que como fechamento da reunião profira a prece ensinada por Francisco de Assis (a prece está inserida após o texto de André Luiz).

O PASSE[141]

Na "esfera carnal, a boa vontade sincera, em muitos casos, pode suprir essa ou aquela deficiência, o que se justifica, em virtude da assistência prestada pelos benfeitores de nossos círculos de ação ao servidor humano, ainda incompleto no terreno das qualidades desejáveis. [...] Todos, com maior ou menor intensidade, poderão prestar concurso fraterno, nesse sentido. [...]"

---
141 XAVIER, Francisco Cândido. *Missionários da luz*. Cap. 19, p. 332-333, 2013.

A PRECE DE FRANCISCO DE ASSIS

Senhor!
Fazei-me um instrumento de vossa paz:
Onde houver ódio que eu leve o amor.
Onde houver ofensas que eu leve o perdão.
Onde houver discórdia que eu leve a união.
Onde houver dúvidas que eu leve a fé.
Onde houver erros que eu leve a verdade.
Onde houver desespero que eu leve a esperança.
Onde houver tristeza que eu leve a alegria.
Onde houver trevas que eu leve a luz.

Ó Mestre!
Fazei com que eu procure mais:
Consolar que ser consolado,
Compreender que ser compreendido,
Amar que ser amado.

Pois é dando, que se recebe,
É perdoando, que se é perdoado,
E é morrendo que se vive para a Vida Eterna.

REFERÊNCIAS

1. KARDEC, Allan. *O evangelho segundo o espiritismo*. Trad. Evandro Noleto Bezerra. 2. ed. 1. imp. Brasília: FEB, 2013.
2. _____. *O livro dos médiuns*. Trad. Evandro Noleto Bezerra. 2. ed.1. imp. Brasília: FEB, 2013.
3. O NOVO Testamento. Tradução, introdução e notas: Haroldo Dutra Dias. 1. ed. 1. imp. Brasília: FEB. 2013.
4. XAVIER, Francisco Cândido; VIEIRA, Waldo. *Evolução em dois mundos*. Pelo Espírito André Luiz. 27. ed. 1. imp Brasília: FEB, 2013.
5. XAVIER, Francisco Cândido. *Missionários da luz*. Pelo Espírito André Luiz. 45. ed. 1. imp. Brasília: FEB, 2013.
6. _____. *Parnaso do além-túmulo*. Por diversos Espíritos. 19. ed. Rio de Janeiro: FEB, 2010.

PROGRAMA I – MÓDULO I – TEMA 9

O PASSE ESPÍRITA

Entre os fluidos e energias que têm origem no Fluido Cósmico Universal temos o *fluido vital*, considerado "[...] princípio da vida material e orgânica, seja qual for a sua fonte, e que é comum a todos os seres vivos, desde as plantas até o homem."[142] Este fluido, também denominado no passado de fluido nervoso, é de natureza magnética e pode ser transmitido de um indivíduo para outro na forma de passe, segundo a nomenclatura espírita.

Para Allan Kardec, a energia magnética, ou nervosa, é o "[...] fluido circulante que cada criatura assimila à sua maneira e em graus diferentes. [...]"[143]

1 CONCEITO ESPÍRITA DE PASSE

O passe, tal como é aplicado na Casa Espírita, não se restringe à simples transmissão de energias magnéticas advindas do fluido vital do doador encarnado. Implica na transfusão de energias mistas, magnético-espirituais, oriundas respectivamente do trabalhador encarnado e do desencarnado que colabora neste tipo de atividade espírita.

O Espírito André Luiz esclarece que esta energia "[...] constitui por si emanação controlada de força mental sob a alavanca da vontade [...]."[144] E complementa:

> O passe é uma transfusão de energias, alterando o campo celular. [...] Na assistência magnética, os recursos espirituais se entrosam entre a emissão e a recepção, ajudando a criatura necessitada para que ela ajude a si mesma. A mente reanimada reergue as vidas microscópicas que a servem, no templo do corpo [...]. O passe, como reconhecemos, é importante contribuição para quem saiba recebê-lo, com o respeito e a confiança que o valorizam.[145]

---

142 KARDEC, Allan. *O livro dos espíritos*. Introdução II, p. 15, 2013.
143 Id. *Revista Espírita*: Jornal de Estudos Psicológicos. Ano XII, jul. 1869, p. 288.
144 XAVIER, Francisco Cândido; VIEIRA, Waldo. *Evolução em dois mundos*. Segunda Parte, cap. 15, p. 209, 2013.
145 XAVIER, Francisco Cândido. *Nos domínios da mediunidade*. Cap.17, p. 199-200, 2011.

Emmanuel, por sua vez, acrescenta: "[...] o passe é a transmissão de uma força psíquica e espiritual, dispensando qualquer contato físico na sua aplicação."[146]

2   TIPOS DE ENERGIAS TRANSMITIDAS NO PASSE

Consta em *A gênese* que há três tipos de fluidos ou energias magnéticas que podem ser transmitidos pelo passe:

1º Pelo próprio fluido do magnetizador; é o magnetismo propriamente dito, ou *magnetismo humano*, cuja ação se acha subordinada à força e, sobretudo, à qualidade do fluido;

2º Pelo fluido dos Espíritos, atuando diretamente e *sem intermediário* sobre um encarnado, seja para o curar ou acalmar um sofrimento, seja para provocar o sono sonambúlico espontâneo, seja para exercer sobre o indivíduo uma influência física ou moral qualquer. É o *magnetismo espiritual* cuja qualidade está na razão direta das qualidades do Espírito.

3º Pelos fluidos que os Espíritos derramam sobre o magnetizador, ao qual este serve de condutor. É o magnetismo *misto, semiespiritual*, ou, se o preferirem, *humano-espiritual*. Combinado com o fluido humano, o fluido espiritual lhe imprime qualidades que lhe faltam. Em tais circunstâncias, o concurso dos Espíritos é, algumas vezes, espontâneo, porém é provocado, com mais frequência, por um apelo do magnetizador.[147]

A atividade de transmissão de passe, usual na Casa Espírita, apresenta as características do terceiro tipo, ou seja, de magnetismo misto, uma vez que o doador encarnado de fluidos conta com a colaboração de um trabalhador espiritual.

3   MECANISMOS DO PASSE

A transmissão e recepção das energias magnético-espirituais através do passe se faz de perispírito para perispírito, de quem doa e de quem recebe. Os benefícios do passe tornam-se visíveis quando aquele que doa e aquele que recebe as energias fluídicas se colocam em uma posição mental adequada, secundada pela fé e confiança no Amparo maior.

Em linhas gerais, o processo de transmissão-recepção fluídica pelo passe pode ser assim resumido:

---

146 XAVIER, Francisco Cândido. *O consolador*. Q. 99, p. 71, 2013.
147 KARDEC, Allan. *A gênese*. Cap. XIV, it. 33, p. 251-252, 2013.

1º "O fluido vital se transmite de um indivíduo a outro. Aquele que o tiver em maior quantidade pode dá-lo a quem o tenha de menos e em certos casos prolongar a vida prestes a extinguir-se."[148]

2º Os fluidos espirituais atuam sobre o perispírito e este, por sua vez, reage sobre o organismo material com que se acha em contato molecular. Se os eflúvios são de boa natureza, o corpo ressente uma impressão salutar; se forem maus, a impressão será penosa."[149]

3º As energias magnético-espirituais do passe são processadas no perispírito do receptor, e, através dos *centros de força* ou *centros vitais* perispirituais — expressões utilizadas pelo Espírito André Luiz e, equivocadamente denominadas "chacras" —, alcançam os *plexos nervosos* do corpo físico, distribuindo-se, então, nas províncias orgânicas. André Luiz considera que no perispírito há sete centros vitais que se conectam com os quatro plexos nervosos situados no corpo físico:

> [...] o nosso corpo de matéria rarefeita está intimamente regido por sete centros de força, que se conjugam nas ramificações dos plexos e que, vibrando em sintonia uns com os outros, ao influxo do poder diretriz da mente, estabelecem, para nosso uso, um veículo de células elétricas, que podemos definir como sendo um campo eletromagnético, no qual o pensamento vibra em circuito fechado.[150]

4 CENTROS DE FORÇA

O Espírito André Luiz assinala a existência de sete principais estruturas perispirituais, de natureza eletromagnética, denominadas *Centros Vitais* ou *Centros de Força*, os quais "[...] governam os bilhões de entidades microscópicas a serviço da inteligência [...]."[151]

O principal centro vital é o *coronário* que detém controle sobre os demais, segundo as seguintes explicações do orientador espiritual: O "[...] centro coronário, instalado na região central do cérebro, sede da mente, [é] centro que assimila os estímulos do plano superior e orienta a forma, o

---

148 KARDEC, Allan. *O livro dos espíritos*. Q. 70-comentário, p. 78, 2013.
149 Id. Ibid. *A gênese*. Cap. XIV, it. 18, p. 244, 2013.
150 XAVIER, Francisco Cândido. *Entre a Terra e o Céu*. Cap. 20, p. 134, 2013.
151 XAVIER, Francisco Cândido; VIEIRA, Waldo. *Evolução em dois mundos*. Primeira parte, it. Centros vitais, cap. 2, p. 26, 2013.

movimento, a estabilidade, o metabolismo orgânico e a vida consciencial da alma encarnada ou desencarnada. [...]"[152]

> O centro coronário supervisiona, ainda, os outros centros vitais que lhe obedecem ao impulso, procedente do Espírito, assim como as peças secundárias de uma usina respondem ao comando da peça-motor de que se serve o tirocínio do homem para concatená-las e dirigi-las. [...][153]

Os demais centros vitais, considerados como secundários, são os que se seguem.

- *Centro Cerebral*: contíguo ao coronário,

> com influência decisiva sobre os demais, governando o córtice encefálico na sustentação dos sentidos, marcando a atividade das glândulas endócrinas e administrando o sistema nervoso em toda a sua organização, coordenação, atividade e mecanismo, desde os neurônios sensitivos até as células efetoras [...]."[154]

André Luiz informa também que o centro cerebral administra, em consequência, as percepções gerais, inclusive as sensoriais, assim especificadas

> [...] a visão, a audição, o tato e a vasta rede de processos da inteligência que dizem respeito à palavra, à cultura, à arte, ao saber. É no "centro cerebral", que possuímos o comando do núcleo endócrino, referente aos poderes psíquicos [...]."(aspas no original).[155]

- *Centro Laríngeo:* "[...] preside aos fenômenos vocais, inclusive às atividades do timo, da tireoide e das paratireoides."[156] Este centro de força controla, portanto, os processos de fala e de respiração.

- *Centro Cardíaco*: "[...] sustenta os serviços da emoção e do equilíbrio geral.[157]

- *Centro Esplênico*: além de atuar sobre o baço, como o nome indica, age sobre "[...] todas as atividades em que se exprime o sistema hemático, dentro das variações de meio e volume sanguíneo.[158]

---

152 XAVIER, Francisco Cândido; VIEIRA, Waldo. *Evolução em dois mundos*. Primeira parte, it. Centros vitais, cap. 2, p. 26, 2013.
153 Id. Ibid. Cap. 2, p. 26–27.
154 Id. Ibid., p. 27.
155 Id., *Entre a Terra e o Céu*. Cap. 20, p. 136, 2013.
156 Id. Ibid., p. 136.
157 Id. Ibid., p. 136.
158 XAVIER, Francisco Cândido; VIEIRA, Waldo. Op. Cit. Primeira parte, cap. 2, p. 27, 2013.

- *Centro Gástrico*: "[...] que se responsabiliza pela penetração de alimentos e fluidos em nossa organização."[159] Dessa forma, tem ação sobre a digestão e a absorção de alimentos.

- *Centro Genésico*: considerado o santuário do sexo, pois por este centro que os corpos físicos são construídos nos processos reencarnatórios, "[...] guiando a modelagem de novas formas entre os homens [encarnados] ou o estabelecimento de estímulos criadores, com vistas ao trabalho, à associação e à realização entre as almas."[160]

5 PLEXOS NERVOSOS

Os plexos nervosos, em número de quatro, estão localizados no corpo físico. São estruturas organizadas na forma de rede. Vemos, então, que os centros de força ou centros vitais fazem conexão com o veículo somático por meio dos plexos nervosos.

Os quatro plexos nervosos do corpo físico são os que se seguem:

Plexo cervical: abrange os nervos da cabeça, pescoço e ombro.

Plexo braquial: nervos da região peitoral (tórax) e dos membros superiores (do antebraço aos dedos das mãos).

Plexo lombar: nervos que irrigam as costas, virilha, abdômen e membros inferiores (da coxa aos dedos dos pés).

Plexo sacro: nervos da pelve, nádegas, órgãos sexuais, coxa, perna e pés. Devido à interligação do plexo lombar e do plexo sacro, por vezes é designado plexo lombo-sacro.

Como os centros vitais do perispírito se conectam com o físico por meio dos plexos nervosos, percebe-se que um plexo nervoso está, obviamente, relacionado a mais de um centro de força perispiritual. Neste sentido, as energias do passe, chegando ao perispírito do receptor, alcançam naturalmente o seu veículo físico, saturando de fluidos salutares a estrutura orgânica enferma, uma vez que a "[...] cura se opera mediante a substituição de uma molécula *malsã* por uma molécula *sã*. O poder curativo estará, pois, na razão direta da pureza da substância inoculada. [...]"[161] (grifo no original).

---

159 XAVIER, Francisco Cândido; VIEIRA, Waldo. *Evolução em dois mundos*. Primeira parte, cap. 20, p. 136, 2013.
160 Id. Ibid. Cap. 2, p. 27, 2013.
161 KARDEC, Allan. *A gênese*. Cap. XIV, it. 31, p. 251, 2013.

A pessoa que transmite o passe, quanto a que o recebe, ambos, devem se colocar em uma posição mental favorável à adequada transmissão e recepção energética. A vontade de auxiliar o próximo e a vontade de ser beneficiado são elementos fundamentais.

> Para os Espíritos, o pensamento e a vontade são o que é a mão para o homem. Pelo pensamento, eles imprimem àqueles fluidos tal ou qual direção, os aglomeram, combinam ou dispersam, organizando com eles conjuntos que apresentam uma aparência, uma forma, uma coloração determinadas; mudam-lhes as propriedades, como um químico muda a dos gases ou de outros corpos, combinando-os segundo certas leis [...].[162]

Além da vontade, a prece é outro recurso inestimável. A oração eleva as vibrações espirituais de quem ora e atrai a assistência dos bons Espíritos, criando-se um clima de serenidade, necessário ao bom aproveitamento da irradiação e energia magnético-fluídicas: "A prece é recomendada por todos os Espíritos. Renunciar à prece é desconhecer a bondade de Deus; é recusar, para si, a sua assistência e, para os outros, abrir mão do bem que lhes pode fazer."[163]

6 O PASSE NA REUNIÃO MEDIÚNICA

Em determinadas circunstâncias, o passe deve ser aplicado nas reuniões mediúnicas. Deve-se, a propósito, evitar qualquer tipo de exagero, como estabelecer que todos os participantes da reunião recebam passe antes ou após a manifestação dos Espíritos. Em condições específicas, quando o Espírito manifestante revela-se preso a maiores sofrimentos ou quando o médium apresenta dificuldade para transmitir o pensamento do Espírito, aí, sim, é importante fornecer energias magnético-espirituais que, por certo, beneficiarão ambos, o médium e o desencarnado. Este tipo de ação favorece a dispersão de fluidos deletérios que poderiam impedir ou dificultar o intercâmbio mediúnico. Naturalmente, não se trata de conduta obrigatória, uma vez que o médium harmonizado com o plano espiritual superior encontra os recursos necessários para não se deixar influenciar pelas ações, emoções ou sentimentos do sofredor, que lhe utiliza as faculdades psíquicas para manifestar-se.

Mas como em toda regra há exceção, nas manifestações mediúnicas penosas, como as de alguns suicidas e obsessores, em geral, a aplicação do

---

162 KARDEC, Allan. *A gênese.* Cap. XIV, it. 14, p. 240.
163 Id. *O evangelho segundo o espiritismo.* Cap. XXVII, it. 12, p. 318, 2013.

passe é necessária. Nos primeiros, os fluidos salutares lhes proporcionarão alívio significativo, amenizando o seu sofrimento; nos segundos, o passe protege os médiuns das vibrações desarmônicas do perseguidor espiritual que, conforme o grau e tipo da obsessão, pode exaurir as forças psíquicas e físicas do medianeiro.

Daí o Espírito André Luiz recomendar o passe nas reuniões mediúnicas de tal porte:

> Semelhante prática deve ser observada regularmente, de vez que o serviço de desobsessão pede energias de todos os presentes e os instrutores espirituais estão prontos a repor os dispêndios de força havidos, através dos instrumentos do auxílio magnético que se dispõem a servi-los, sem ruídos desnecessários, de modo a não quebrarem a paz e a respeitabilidade do recinto.[164]

---

164 XAVIER, Francisco Cândido; VIEIRA, Waldo. *Desobsessão*. Cap. 52, p. 197-198, 2012.

ATIVIDADE PRÁTICA 9: QUALIDADES DO APLICADOR DE PASSE DESENCARNADO

Objetivos do exercício

> Identificar as qualidades essenciais ao aplicador desencarnado do passe.

> Exercitar a transmissão e a recepção do passe entre os participantes do grupo de estudo.

Sugestões ao monitor

1. Realizar, em conjunto com os integrantes da reunião, leitura do texto a seguir relacionado, extraído do capítulo 19, da obra *Missionários da luz*, de André Luiz.

2. Estimular a troca de ideias a respeito do assunto lido.

3. Realizar exercícios de passe, envolvendo os participantes, e finalizar a reunião com uma prece.

O PASSE[165]

[...] O servidor do bem, mesmo desencarnado, não pode satisfazer em semelhante serviço [do passe], se ainda não conseguiu manter um padrão superior de elevação mental contínua, condição indispensável à exteriorização das faculdades radiantes. O missionário do auxílio magnético, na Crosta ou aqui em nossa esfera, necessita ter grande domínio sobre si mesmo, espontâneo equilíbrio de sentimentos, acendrado amor aos semelhantes, alta compreensão da vida, fé vigorosa e profunda confiança no Poder divino. Cumpre-me acentuar, todavia, que semelhantes requisitos, em nosso plano, constituem exigências a que não se pode fugir [...].

---
165 XAVIER, Francisco Cândido. *Missionários da luz*, p. 332, 2013.

REFERÊNCIAS

1. KARDEC, Allan. *A gênese*. Trad. Evandro Noleto Bezerra. 2. ed. 1. imp. Brasília: FEB, 2013.
2. _____. *O evangelho segundo o espiritismo*. Trad. Evandro Noleto Bezerra. 2. ed. 1. imp. Brasília: FEB, 2013.
3. _____. *O livro dos espíritos*. Trad. Evandro Noleto Bezerra. 4. ed. 1. imp. Brasília: FEB, 2013.
4. _____. *Revista Espírita*: Jornal de Estudos Psicológicos. Ano XII, jul. 1869. Trad. Evandro Noleto Bezerra. 2. ed. Rio de Janeiro: FEB, 2005.
5. XAVIER, Francisco Cândido; VIEIRA, Waldo. *Desobsessão*. Pelo Espírito André Luiz. 1. edição especial. Rio de Janeiro: FEB, 2005.
6. XAVIER, Francisco Cândido. *Entre a Terra e o Céu*. Pelo Espírito André Luiz. 27. ed. 1. imp. Brasília: FEB, 2013.
7. _____. *Missionários da luz*. Pelo Espírito André Luiz. 45. ed. 1. imp. Brasília: FEB, 2013.
8. _____. *Nos domínios da mediunidade*. Pelo Espírito André Luiz. 34. ed. Rio de Janeiro: FEB, 2011.
9. _____. *O consolador*. Pelo Espírito Emmanuel. 29. ed. 1. imp. Brasília: FEB, 2013.
10. _____. *Evolução em dois mundos*. Pelo Espírito André Luiz. 27. ed.1. imp. Brasília: FEB, 2013.

A EMANCIPAÇÃO DA ALMA

Em *O livro dos espíritos*, a alma é conceituada como "um Espírito encarnado".[166] Esta definição traz algumas implicações, entre elas a indicação de que o encarnado vivia anteriormente em outro plano e, ao sair de lá para reencarnar, não estaria impedido de manter contato com os seus habitantes, como usualmente fazemos com pessoas que vivem em outras cidades, países ou continentes.

Nestas circunstâncias, ensina o Espiritismo, o intercâmbio entre um plano e outro pode ser regularmente estabelecido por meio de duas vias: a mediúnica e a utilizada diretamente pelo próprio encarnado. Pela via mediúnica o Espírito renasce como *médium*, pessoa possuidora de uma organização física apropriada, sensível,[167] que lhe favoreça atuar como intérprete de pensamentos e de sentimentos dos desencarnados. Pela outra via, objeto deste estudo, a comunicação é realizada pelo próprio encarnado, quando este se encontra no estado de *emancipação da alma*, assim definido por Allan Kardec, mas que vulgarmente, no meio espírita, é conhecido como *anímico* ou, ainda, de *desdobramento espiritual*.

Entretanto, as duas vias de comunicação usualmente se sobrepõem, de forma que não é fácil discernir, com exatidão, quando um fenômeno é exclusivamente mediúnico ou anímico.

Nas ocorrências anímicas (ou de emancipação da alma) o Espírito se desprende parcialmente do corpo físico, torna-se mais livre, mais independente ou mais emancipado, e, por si, presencia ou participa de acontecimentos em ambas as dimensões da vida, e então consegue entrar em contato com Espíritos, encarnados e/ou desencarnados.

O livro dos médiuns explica que as ocorrências anímicas são fenômenos naturais, tal como acontece com a mediunidade, pois ambos estão relacionados às propriedades do perispírito, uma vez que "[...] no princípio de que

---
166 KARDEC, Allan. *O livro dos espíritos*. Q.134, p. 104, 2013.
167 Id. *O livro dos médiuns*. Segunda parte, cap. XIV, it. 159, p. 169, 2013.

tudo o que foi dito sobre as propriedades do perispírito após a morte também se aplica ao perispírito dos vivos [encarnados]."[168] Sendo a emancipação da alma intrínseca à natureza humana, destaca Allan Kardec, o corpo é o "[...] envoltório e o instrumento do Espírito e, à medida que este adquire novas aptidões, reveste outro envoltório apropriado [...]",[169] modelado e adaptado às necessidades de sua evolução.

1 A EMANCIPAÇÃO DA ALMA

Assinalamos, em seguida, os fenômenos de emancipação da alma relacionados, respectivamente, em *O livro dos espíritos* e em *O livro dos médiuns*.

- *Sono e sonhos*

Esclarece a equipe do Espírito de Verdade ao Codificador do Espiritismo: "[...] o Espírito jamais está inativo. Durante o sono, afrouxam-se os laços que o prendem ao corpo e, então, não precisando o corpo de sua presença, o Espírito se lança no espaço e *entra em relação mais direta com os outros Espíritos*."[170] (grifo no original). E complementa:

> [...] Sabei que, quando o corpo repousa, o Espírito tem mais faculdades do que no estado de vigília. Lembra-se do passado e algumas vezes prevê o futuro. Adquire mais poder e pode entrar em comunicação com outros Espíritos, *seja deste mundo, seja do outro*. [...] O sono liberta parcialmente a alma do corpo. Quando dorme, o homem se acha momentaneamente no estado em que ficará de forma definitiva depois da morte. [...][171]

Essa liberdade é recordada na forma de *sonhos* dos quais guarda lembranças, mais ou menos intensas. Quando o Espírito retorna ao corpo físico, lembra-se do que fez e com quem esteve quando se encontrava emancipado. Mesmo as pessoas que dizem não sonhar, sonham. Apenas não se recordam, pois o sonho, entende hoje a Ciência, é uma necessidade tão vital ao ser humano como o ar que ele respira.

O sonho é um recurso divino por excelência que permite a qualquer pessoa comunicar-se com Espíritos encarnados e desencarnados, sobretudo os que lhe são caros, independentemente do fato de possuir faculdade mediúnica desenvolvida, ou não. É por este meio que os Espíritos visitam e

---

168 KARDEC, Allan. *O livros dos médiuns*. Cap. VII, it. 114, p.125.
169 Id. *A gênese*. Cap. XI, it.10, p. 179, 2013.
170 Id. *O livro dos espíritos*. Q. 401, p. 207, 2013.
171 Id. Ibid. Q. 402, p. 207-208.

convivem com os encarnados. Os Espíritos protetores, em particular, muito se utilizam dos recursos do sono e do sonho para auxiliar os seus assistidos. Ainda que a lembrança das experiências vividas não seja nítida, ensinam os orientadores da Codificação: "Em geral, guardais a intuição dessas visitas ao despertardes. Muitas vezes essa intuição é a fonte de certas ideias que vos surgem espontaneamente, sem que possais explicá-las, e que são exatamente as que adquiristes nessas conversas."[172]

- *Transmissão oculta do pensamento*

A telepatia ou transmissão de pensamento é a comunicação instantânea entre duas pessoas, possibilitando-as compreender-se apenas pela linguagem da mente, mesmo que ambas estejam acordadas (em estado de vigília). Trata-se de uma percepção oculta, pois acontece em nível mental: "Há entre os Espíritos que se encontram uma comunicação de pensamentos que faz com que duas pessoas se vejam e se compreendam sem necessidade dos sinais exteriores da linguagem. [...]"[173]

É por intermédio da telepatia que muitas ideias são difundidas, comentam os instrutores espirituais: "[...] Quando dizeis que uma ideia está no ar, fazeis uso de uma figura de linguagem mais exata do que supondes. Cada um contribui, sem o suspeitar, para propagá-la."[174] Isto ocorre porque as ideias são captadas por outras mentes que se mantêm em sintonia, visto que o "Espírito não se acha encerrado no corpo como numa caixa; irradia por todos os lados. Por isso pode comunicar-se com outros Espíritos, mesmo em estado de vigília, embora o faça mais dificilmente."[175] Em estado de vigília a comunicação mental é menos frequente.

- *Letargia, catalepsia, mortes aparentes*

Os casos de letargia e de catalepsia revelam que o "Espírito tem consciência de si, mas não pode comunicar-se."[176] São situações de emancipação da alma consideradas pela Medicina como estados patológicos. As causas são variadas, desde lesões cerebrais, ação de certas substâncias químicas ou grave perturbação psicológica. Para o Espiritismo é um estado anômalo que pode ser induzido por Espíritos obsessores ou por intenso afastamento/

---
172 KARDEC, Allan. *O livro dos espíritos*. Q. 415, p. 213.
173 Id. Ibid. Q. 421-comentário, p. 215.
174 Id. Ibid. Q. 419-comentário, p. 214.
175 Id. Ibid. Q. 420, p. 215.
176 Id. Ibid. Q. 422, p. 215, 2013.

desligamento do perispírito do corpo físico, situação que, se persistir, pode levar à desencarnação.

Na letargia a pessoa encontra-se em uma "condição de torpor ou de lentidão funcional."[177] Há imobilidade generalizada e o sono letárgico que pode conduzir à morte, outras vezes não há sono, propriamente dito, ainda que não ocorra qualquer resposta muscular. Nestas condições, "o indivíduo sabe o que está se passando, pode sofrer seus efeitos, mas é incapaz de exercer suficiente força de vontade para a promoção de uma defesa muscular."[178] Perseguidores implacáveis podem induzir o encarnado ao estado letárgico. Na catalepsia "[...] ocorre diminuição generalizada da resposta (reatividade), que se caracteriza comumente por um estado similar ao transe. Médicos e enfermeiras devem ter em mente que, mesmo com o paciente em transe, as conversas podem ser ouvidas [...]",[179] ensinam os postulados médicos. O mais comum na catalepsia é que apenas uma parte do corpo se mantenha imóvel.

> A letargia e a catalepsia têm o mesmo princípio, que é a perda momentânea da sensibilidade e do movimento, por uma causa fisiológica ainda não explicada. Diferem uma da outra pelo fato de que, na letargia, a suspensão das forças vitais é geral e dá ao corpo todas as aparências da morte; na catalepsia, ela é localizada e pode afetar uma parte mais ou menos extensa do corpo, de modo a deixar a inteligência livre para se manifestar, o que não permite confundi-la com a morte. A letargia é sempre natural [tem origem em causa fisiológica ou intoxicação química]. A catalepsia, em certas ocasiões, é espontânea, mas pode ser provocada e desfeita artificialmente pela ação magnética [passe].[180]

Considerando-se que em ambas as condições há paralisia, total ou parcial, a pessoa apresenta um quadro que, popularmente, foi alcunhado de "morte aparente".

- *Sonambulismo*

"É um estado de independência da alma, mais completo que no sonho, estado em que as suas faculdades ficam mais desenvolvidas. A alma tem percepções de que não dispõe no sonho, que é um estado de sonambulismo imperfeito."[181] É situação relativamente comum nos médiuns psicofônicos e psicógrafos, que, em geral, apresentam algum grau de sonambulismo.

---

177 CLAYTON, Thomas. *Dicionário médico enciclopédico Taber*, p. 1019.
178 Id. Ibid., p. 1019.
179 Id. Ibid., p. 285.
180 KARDEC, Allan. *O livro dos espíritos*. Q. 424-comentário, p. 216, 2013.
181 Id. Ibid. Q. 425, p. 216.

No sonambulismo, a alma se transporta ao local dos acontecimentos, mas pode também presenciá-los à distância, como se estivesse vendo uma projeção; pode falar com exatidão de coisas que, a rigor, ignora no estado de vigília, ou até mesmo de assuntos que estão acima de sua capacidade; vê outros Espíritos e pode receber instruções deles. Quando isto acontece o encarnado atua como Espírito emancipado (fenômeno anímico) e como médium (transmite informações dos Espíritos).

Nestas condições, o sonâmbulo perde momentaneamente contato com a realidade aparente, externa e da vida de relação, vivendo a vida do Espírito, enquanto o corpo permanece inerte, situado entre a vigília e o sono. "[...] Facilmente, portanto, se compreende por que os sonâmbulos não se recordam do que se passou no estado sonambúlico e por que os sonhos, cuja lembrança conservam, na maioria das vezes já não têm sentido."[182]

- *Dupla vista*

Conhecida também como *segunda vista* ou "a vista da alma."[183]

> A emancipação da alma se manifesta, às vezes, no estado de vigília e produz o fenômeno conhecido pelo nome de *segunda vista*, que dá aos que a possuem a faculdade de ver, ouvir e sentir *além dos limites dos nossos sentidos*; [...] veem, por assim dizer, através da vista ordinária e como por uma espécie de miragem. No momento em que o fenômeno da segunda vista se produz, o estado físico do indivíduo é sensivelmente modificado; o olho tem algo de vago; ele fita sem ver; toda a sua fisionomia reflete uma espécie de exaltação. [...] Para quem desfruta de tal faculdade, ela parece tão natural como a de ver. [...] [184]

- *Êxtase*

"O êxtase é um sonambulismo mais apurado. A alma do extático é ainda mais independente."[185] O êxtase é um tipo de sonambulismo no qual a alma visita os mundos ou dimensões superiores da vida.

- *Bicorporeidade e transfiguração*

Ambas as manifestações anímicas são definidas em *O livro dos médiuns* como "[...] variedades do fenômeno das manifestações visuais e, por mais maravilhosos que possam parecer à primeira vista, facilmente se reconhecerá [...] que não estão fora dos fenômenos naturais."[186]

---

182 KARDEC, Allan. *O livro dos espíritos*. Q. 425-comentário, p. 217, 2013.
183 Id. Ibid. Q. 447, p. 221.
184 Id. Ibid. Q. 455-comentário, p. 227-228.
185 Id. Ibid. Q. 439, p. 220.
186 Id. *O livro dos médiuns*. Cap.VII, it. 114, p. 125, 2013.

Na *bicorporeidade*, o encarnado desliga-se parcialmente do seu corpo físico e, enquanto este permanece adormecido em um local, o Espírito se desloca no espaço, tornando-se visível em outra localidade, às vezes muito distante de onde está o seu corpo. A visibilidade pode ser rápida e fugaz, ou nítida e prolongada. Este tipo de emancipação da alma é muito comum quando se aproxima a hora da desencarnação. O Espírito sente necessidade de ir ao encontro de entes queridos para despedir-se.

Entre nós, no Brasil, são notáveis as histórias de bicorporeidade do estimado espírita e educador mineiro, Eurípedes Barsanulfo (1880–1918), que, ao sair do corpo, tornava-se tangível a outros encarnados para auxiliá-los em suas múltiplas necessidades. Em geral, as pessoas assistidas desconheciam o fato de que se tratava da visita de um Espírito encarnado materializado, cujo corpo físico encontrava-se adormecido no leito de sua casa, em Sacramento-MG, cidade onde Eurípedes residia.

O desdobramento espiritual leve, isto é, sem tangibilidade, ocorre com relativa frequência nas reuniões mediúnicas usuais da Casa Espírita, sobretudo entre os médiuns videntes e os psicofônicos. Às vezes, o encarnado se desloca até o local onde um acontecimento está ocorrendo ou se posiciona ao lado do Espírito comunicante, fornecendo, mais tarde, detalhes do que percebeu no ambiente espiritual da reunião, ou fora desta. Em outras situações, mais comuns, o encarnado sai do corpo e assiste a uma projeção de acontecimentos ou fatos, transmitidos em uma tela muito semelhante à utilizada nas projeções de multimídia ou de cinema. Esta última possibilidade se revela importante para melhor compreender o sofrimento do Espírito comunicante, e auxiliá-lo adequadamente, ao acompanhar ações cometidas por ele no passado e que agora se refletem no presente.

Na *transfiguração* acontece um fenômeno inusitado, e muito raro: "Consiste na mudança de aspecto de um corpo vivo."[187] Em outras palavras, a aparência e a expressão fisionômica do encarnado mudam repentinamente, adquirindo outras características. Por exemplo, um ocidental típico pode, sob o efeito da transfiguração, apresentar-se com a aparência de um oriental. Ou um jovem pode modificar a expressão fisionômica e corporal, assemelhando-se a um idoso. O melhor e maior exemplo de transfiguração de que temos notícia foi a de Jesus, ocorrida no Monte Tabor, na qual "o rosto e as vestes do Senhor resplandeceram como o sol". Este fenômeno foi

---

187 KARDEC, Allan. *O livro dos médiuns*. Cap. VII, it. 122, p. 132, 2013.

amplamente anunciado por *Mateus*, 17:1 a 9; *Marcos*, 9:2 a 8; *Lucas*, 9:28 a 36 e por Pedro em sua segunda epístola: *II Pedro*, 1:16-18.

Os itens 115 a 133, capítulo VII, de *O livro dos médiuns* fornecem maiores informações a respeito da bicorporeidade e da transfiguração. Uma excelente obra de referência sobre a bicorporeidade é *Antonio de Pádua*, publicada pela FEB.

ATIVIDADE PRÁTICA 10: EXERCÍCIO DE APLICAÇÃO DE PASSE

Objetivo do exercício

> Exercitar a prática do passe entre participantes voluntários.
> Avaliar a aplicação do passe realizada pelos participantes.

Sugestões ao monitor

1. Solicitar os participantes que se organizem em duplas para aplicação mútua do passe, de acordo com esta orientação: primeiro, um voluntário transmite o passe ao colega; em seguida, trocam de posições: a pessoa que aplicou o passe recebe-o do colega.

2. Avaliar o exercício realizado, apontando pontos positivos e outros que precisam ser melhorados, com base nas orientações espíritas já estudadas.

3. Orar em benefício de um doente, ou pedir alguém para fazê-lo, como encerramento da reunião e do programa I do curso *Mediunidade: Estudo e prática*.

REFERÊNCIAS

1. KARDEC, Allan. *A gênese*. Trad. Evandro Noleto Bezerra. 2. ed.1. imp. Brasília: FEB, 2013.
2. _____. *O livro dos espíritos*. Trad. Evandro Noleto Bezerra. 4. ed. 1. imp. Brasília: FEB, 2013.
3. _____. *O livro dos médiuns*. Trad. Evandro Noleto Bezerra. 2. ed.1. imp. Brasília: FEB, 2013.
4. CLAYTON, Thomas (coordenador). *Dicionário médico enciclopédico Taber*. Trad. de Fernando Gomes do Nascimento. São Paulo: Manole, 2000.
5. O NOVO Testamento. Tradução, introdução e notas: Haroldo Dutra Dias. 1. ed.1. imp. Brasília: FEB, 2013.

PROGRAMA I – MÓDULO I

ATIVIDADE COMPLEMENTAR DO MÓDULO

Curso de passe

Trata-se de uma atividade optativa e complementar de fechamento dos assuntos estudados no Módulo. Sendo assim, sugere-se que a atividade seja planejada e executada, em conjunto, pelas coordenações do curso de *Mediunidade: Estudo e prática* e do Atendimento Espiritual na Casa Espírita.

Este curso está aberto aos estudantes da mediunidade, às pessoas que desejam, futuramente, aplicar passe — desde que tenham conhecimento espírita básico —, e aos demais trabalhadores da instituição, se assim o desejarem.

O programa do Curso de Passe deve ter uma carga horária de 4 a 6 horas de duração e deve apresentar conteúdos teóricos e práticos. A título de exemplo, apresentamos a sugestão que se segue.

Sugestão de Conteúdo Programático

1. Conceito de passe espírita. O passe e a prece.
2. Mecanismos do passe.
3. Benefícios do passe.
4. Requisitos necessários ao aplicador de passe, encarnado e desencarnado.
5. Exercício de como aplicar corretamente o passe, à luz do entendimento espírita.

PROGRAMA I – MÓDULO I

ATIVIDADE BIMENSAL DOS PARTICIPANTES DO CURSO

Clube de leitura

O Clube de Leitura é outra atividade optativa de fechamento do Módulo que envolve os participantes inscritos no curso de mediunidade. Deve ser realizada sob supervisão do monitor da turma.

Objetivos

> Ampliar o conhecimento de assuntos estudados no Módulo.
> Estimular o hábito de leitura de obras sérias relacionadas ao tema mediunidade.

Sugestão de como realizar a atividade

1. O monitor indica, no início do curso, o nome de uma ou duas obras espíritas que os participantes poderão adquirir para leitura.
2. Explica-lhes que essas obras estão relacionadas ao conteúdo doutrinário que será estudado no módulo.
3. Em seguida, apresenta um sumário de cada obra indicada.
4. Entrega aos participantes um calendário em que deva constar: data, hora e local para a realização de reuniões preparatórias e a de apresentação do resumo da leitura das obras, na instituição espírita.
5. Esclarece que ele, monitor, ou alguém indicado (outro monitor ou mesmo um dos participantes), estará acompanhando a turma durante a preparação e a execução da atividade.

SUGESTÃO DE FICHA DE LEITURA

A *Ficha de leitura* é muito útil porque facilita o estudo e a compreensão de um livro. Devem constar informações gerais e específicas que forneçam uma visão panorâmica das ideias desenvolvidas pelo autor.

Modelo de Ficha de leitura de livro espírita

Título do livro:

Autor encarnado:

Autor(es) desencarnado(s):

Tradutor:

Editora:

Edição:

Nº de páginas:

Tema (assunto):

Personagens

- Quantas e quais são?
- Que papel desempenham na história?
- Quem aparece mais vezes na história?
- Como é a personagem principal?

Local(ais) onde acontece a história:

Breve descrição do(s) local(is) da história:

Época provável em que a história ocorreu:

Ideia principal da história:

De que parte da história você mais gostou? Por quê?

MEDIUNIDADE: ESTUDO E PRÁTICA

MÓDULO II
As bases da comunicação mediúnica

Mediunidade: Estudo e prática – Programa 1
PLANO GERAL DO MÓDULO II
As bases da comunicação mediúnica

TEMAS TEÓRICOS	ATIVIDADES PRÁTICAS (Irradiação mental e prece)
1. Eclosão da Mediunidade. (p. 115)	1. Prece e irradiação mental. (p. 120)
2. Transes. (p. 123)	2. Como fazer a irradiação mental. (p.127)
3. Ação dos fluidos, do perispírito e da mente na comunicação mediúnica. (p. 131)	3. Exercício de irradiação mental. (p. 136)
4. Laboratório do mundo invisível. (p. 139)	4. Exercício de irradiação mental associado à prece. (p. 143)
5. As reuniões mediúnicas sérias: natureza e características. (p. 145)	5. Exercício de mentalização silenciosa. (p. 150)
6. Influência moral dos médiuns nas comunicações dos Espíritos. (p. 153)	6. Exercício de livre mentalização. (p. 157)
7. Educação da faculdade mediúnica. (p. 159)	7. Irradiação mental e ideoplastias. (p. 164)

ATIVIDADE COMPLEMENTAR DO MÓDULO (OPTATIVA):

1. Seminário: Médiuns obsidiados. (p. 167)

PROGRAMA I – MÓDULO II – TEMA 1

ECLOSÃO DA MEDIUNIDADE

Ocorrências mediúnicas são importantes na consolidação da certeza da imortalidade da alma e podem eclodir em qualquer tempo e lugar. Para serem edificantes, precisam ser consideradas com seriedade de propósitos e intenção nobre de buscar a verdade. Às instituições espíritas cabe a tarefa de orientar a prática da mediunidade que, sendo faculdade inerente à criatura humana, pode manifestar-se em qualquer pessoa, independentemente da sua idade, crença, raça ou plano de vida em que se situe.

A faculdade mediúnica ostensiva, sem o correto direcionamento, pode produzir distúrbios comportamentais, orgânicos ou até mentais, traduzidos por perturbações na vida do indivíduo e da família. Como instrumento de trabalho, sua finalidade é conduzir o indivíduo ao progresso, oferecendo significativa contribuição ao bem geral. Ser médium é agir como elo de união entre diferentes planos da vida, permitindo que desencarnados sofredores recebam a orientação e apoio que necessitam, assim como possibilitar aos bons Espíritos a chance de transmitirem mensagens de consolo e esperança.

O objetivo da Doutrina Espírita, e por extensão o da mediunidade, é a transformação da humanidade para melhor, e, segundo Allan Kardec, esse efeito se produz pelo melhoramento das massas populares, em consequência do aperfeiçoamento dos indivíduos. Refletindo a respeito, Kardec indaga:

> [...] Que importa crer na existência dos Espíritos, se essa crença não torna melhor o homem, mais benevolente e mais indulgente para com os seus semelhantes, mais humilde e mais paciente na adversidade? De que serve ao avarento ser espírita, se continua avarento; ao orgulhoso, se se conserva cheio de si; ao invejoso, se permanece dominado pela inveja? [...][188]

---

188 KARDEC, Allan. *O livro dos médiuns*. Segunda parte, cap. XXIX, it. 350, p. 376, 2013.

1 CONCEITO

A palavra *eclosão* significa, entre outros, "abertura do que estava preso, contraído, fechado; desabrochamento; surgimento, aparecimento."[189] *Eclosão da mediunidade* é, pois, o início ou aparecimento de fenômenos resultantes da capacidade de uma pessoa (médium) entrar em contato com seres de outra dimensão, os chamados "mortos", que, em linguagem espírita, são os *desencarnados*, seres humanos que estão fora da carne, isto é, não têm o corpo físico.

A aptidão mediúnica permite ao indivíduo resgatar, com o trabalho em prol de seus semelhantes, equívocos cometidos em vidas passadas e, ao mesmo tempo, concretizar compromissos assumidos anteriormente, no planejamento reencarnatório. Quem possui mediunidade ostensiva (de efeitos patentes) não é, necessariamente, um ser evoluído intelecto e moralmente, mas alguém que, por determinação superior, recebeu uma importante ferramenta de trabalho que deve ser utilizada como meio de autoaperfeiçoamento. Em síntese, esclarece Joanna de Ângelis:

> Natural, aparece espontaneamente, mediante constrição segura, na qual os desencarnados de tal ou qual estágio evolutivo convocam à necessária observância de suas leis, conduzindo o instrumento mediúnico a precioso labor por cujos serviços adquire vasto patrimônio de equilíbrio e iluminação, resgatando, simultaneamente, os compromissos negativos a que se encontra enleado desde vidas anteriores. Outras vezes surge como impositivo provacional mediante o qual é possível mais ampla libertação do próprio médium, que, em dilatando o exercício da nobilitação a que se dedica, granjeia consideração e títulos de benemerência que lhe conferem paz.[190]

Quando se fala em *eclosão da mediunidade* subentende-se alusão ao início de uma atividade programada para ser realizada durante a reencarnação, ou seja, o exercício de uma força-tarefa de melhoria espiritual. Contudo, sendo a mediunidade inerente ao psiquismo humano, ela se desenvolve naturalmente ao longo das experiências reencarnatórias e nas suas vivências no plano espiritual.

2 RELAÇÃO ENTRE A MEDIUNIDADE E O CORPO FÍSICO

O surgimento da mediunidade pode ocorrer em qualquer etapa da existência: infância, adolescência, fase adulta ou, mais raramente, na velhice,

---

189 HOUAISS, Antônio; VILLAR, Mario Salles. *Dicionário Houaiss da Língua Portuguesa*, p. 719.
190 FRANCO, Divaldo Pereira. *Estudos espíritas*. Cap.18, p.126.

pois a capacidade de interagir ou de comunicar é inerente ao ser humano. Quando, porém, os indivíduos que se comunicam estão situados em planos diferentes de vida, tal como acontece entre encarnados e desencarnados, o corpo físico passa a ser um componente que se interpõe entre ambos. Há, então, necessidade de que esse elemento seja adequadamente constituído a fim de favorecer a manifestação de fenômenos mediúnicos, durante essa interação. Daí Allan Kardec esclarecer que o médium de efeitos patentes "[...] depende de uma organização mais ou menos sensitiva. É de notar-se, além disso, que essa faculdade não se revela da mesma maneira em todos os sensitivos. [...]"[191]

Há, pois, relação entre a manifestação da faculdade mediúnica e a organização física apropriada. É preciso entender que o corpo físico só revela a desejável sensibilidade à manifestação mediúnica devido a ação do perispírito que impõe ao veículo somático os necessários implementos, antes da reencarnação do médium. Não podemos jamais esquecer que o perispírito é o modelador do corpo físico. Nesse sentido, é clara a afirmativa que se segue.

> Os órgãos são os instrumentos da manifestação das faculdades da alma. Essa manifestação se acha subordinada ao desenvolvimento e ao grau de perfeição desses mesmos órgãos, como a excelência de um trabalho está subordinada à qualidade da ferramenta.[192]

Importa esclarecer que a construção do corpo físico, a partir do molde perispirítico, não é, obviamente, igual em todos os médiuns, daí a assertiva de Kardec: "[...] Geralmente, os médiuns têm uma aptidão especial para os fenômenos desta ou daquela ordem, de modo que há tantas variedades quantas são as espécies de manifestações [...]."[193] Outro ponto, não menos importante, diz respeito ao uso da faculdade mediúnica pelo médium, expresso nesta pergunta de Allan Kardec e na resposta que ele recebeu dos Espíritos orientadores:

- *O desenvolvimento da mediunidade guarda relação com o desenvolvimento moral dos médiuns?*[194] (grifo no original).

- "Não. A faculdade propriamente dita reside no organismo; independe do moral. O mesmo, porém, não se dá com o seu uso, que

---

191 KARDEC, Allan. *O livro dos médiuns*. Segunda parte, cap. XIV, it. 159, p. 169, 2013.
192 Id. *O livro dos espíritos*. Q. 369, p. 194, 2013.
193 KARDEC, Allan. Op. Cit. Segunda parte, cap. XIV, it. 159, p. 169, 2013.
194 Id. Ibid. Cap. XX, it. 226, nº 1, p. 237, 2013.

pode ser bom ou mau, de acordo com as qualidades do médium."[195] (aspas no original)

Nesse sentido, a prática mediúnica, à luz do entendimento espírita, requer base moral fundamentada no Evangelho e no conhecimento fornecido pelo Espiritismo.

É comum, quando do surgimento da mediunidade, ocorrerem distúrbios físicos e psicológicos. Conforme o grau de sensibilidade e de controle do médium iniciante, esses desconfortos podem se revelar intensos, produzindo desarmonias nem sempre bem administradas. A eclosão da faculdade mediúnica no Espírito encarnado revela-se como um momento de fundamental importância em sua existência, mas nem sempre a pessoa é convenientemente assistida, seja por ignorância a respeito do assunto, o que é mais comum, seja por desinteresse ou desatenção dos familiares ou dos amigos. Em outras ocasiões, os médiuns iniciantes podem se revelar "[...] fascinados pelo entusiasmo excessivo, diante do impacto das revelações espirituais que os visitam de jato, solicitam o entendimento e o apoio dos irmãos experimentados, para que não se percam, em engodos brilhantes."[196]

Nesse contexto, a Casa Espírita em geral, e os grupos mediúnicos espíritas em particular, assumem a enorme responsabilidade de orientarem, sem misticismos e práticas antidoutrinárias, o médium iniciante, fazendo-o compreender que o acesso "[...] à esfera dos seres desencarnados, ainda jungidos ao plano físico, é semelhante ao ingresso em praça pública da própria Terra, onde enxameiam inteligências de todos os tipos."[197]

Auxiliar a educação da mediunidade e o aprimoramento mediúnico do médium não é tarefa fácil. Exige dos dirigentes espíritas devotamento a esse gênero de tarefa, assim como disposição para orientar com sabedoria, bondade e paciência, sobretudo se o médium iniciante apresenta desarmonias. De qualquer forma, é importante ter em mente que, no início da prática mediúnica, os médiuns sintonizam mais facilmente com Espíritos que se identificam com os encarnados e com a vida do plano físico. Comumente, não são Espíritos evoluídos, porém ainda aprisionados às sensações da matéria. Essa influência pode constituir-se em algo problemático. Os médiuns iniciantes têm de "[...] lidar com Espíritos inferiores, e feliz do medianeiro quando se trata apenas de Espíritos levianos. Devem estar muito atentos

---

195 KARDEC, Allan. *O livro dos médiuns*. Segunda parte, cap. XX, it. 226, p. 237, 2013.
196 XAVIER, Francisco Cândido; VIEIRA, Waldo. *Estude e viva*. Cap. 37, p. 161, 2013.
197 Id. Ibid., p. 162.

para que tais Espíritos não assumam predomínio, porque, caso isso aconteça, nem sempre lhes será fácil desembaraçar-se deles. [...]"[198]

Uma dificuldade que se depara comumente, em relação aos médiuns principiantes, é que eles querem, de imediato, participar de uma reunião mediúnica. Trata-se de medida que não deve ser apoiada pelos dirigentes e orientadores encarnados da Casa Espírita. Por uma simples questão de bom senso, o médium deve, primeiramente, desenvolver estudos a respeito da mediunidade e aprender a ter controle sobre a faculdade, antes de participar das reuniões mediúnicas.

A orientação espírita segura é amparar o médium que apresenta eclosão da mediunidade por meio de palavras fraternas, de apoio e de conforto espiritual, indicando-lhe o uso do passe, da oração e da prática da caridade e, ao mesmo tempo, orientando-o a integrar um grupo de estudos doutrinários, da mediunidade e do Evangelho, a fim de fortalecer-lhe as defesas psíquicas e morais. Antes de qualquer providência, a pessoa precisa entender o que é ser médium, como exercitar a faculdade mediúnica e de que forma os Espíritos atuam no pensamento e atos de cada um, "[...] porquanto a força mediúnica, em verdade, não ajuda nem edifica quando esteja distante da caridade e ausente da educação."[199]

> Força medianímica, desse modo [...], é dom que a vida outorga a todos. O que difere, em cada pessoa, é o problema de rumo. Nisso reside a razão pela qual os Mensageiros divinos insistirão, ainda por muito tempo, pela sublimação das energias psíquicas a fim de que os frutos do bem se multipliquem por toda a Terra. Não valem médiuns que apenas produzam fenômenos. Não valem fenômenos que apenas estabeleçam convicções. Não valem convicções que criem apenas palavras. Não valem palavras que apenas articulem pensamentos vazios. A vida e o tempo exigem trabalho e melhoria, progresso e aprimoramento. [...][200]

---

198 KARDEC, Allan. *O livro dos médiuns*. Segunda parte, cap. XVII, it. 211, p. 211, 2013.
199 XAVIER, Francisco Cândido. *Seara dos médiuns*. It. Força Mediúnica, p. 59, 2013.
200 Id. Ibid., p. 58-59.

ATIVIDADE PRÁTICA 1: PRECE E IRRADIAÇÃO MENTAL

Objetivos do exercício

> Definir a diferença entre prece e irradiação.

> Realizar irradiação mental do pensamento.

> Prosseguir com o exercício de prece.

Sugestões ao monitor

1. Com base no texto, relacionado a seguir, estabelecer a diferença entre prece, propriamente dita, e irradiação mental.

2. Realizar breve irradiação mental pelas pessoas que se encontram sob difíceis provações.

3. Encerrar a reunião com prece sucinta.

PRECE E IRRADIAÇÃO MENTAL

Irradiação, etimologicamente, significa lançar de si algo, emitir (raios, energias, fluidos, pensamentos, sentimentos), irradiar ou radiar. Tem também o significado de resplandecer, refulgir, lançar raios de luz ou calor, aureolar, cercar de raios refulgentes. É vibração que faz oscilar, brandir, agitar, mover qualquer fluido ou energia.

Todos nós temos capacidade para expandir os próprios fluidos e energias, vitais e mentais, pelo controle da vontade. Por exemplo, podemos mentalizar uma pessoa doente ou portador de dificuldade, envolvendo-a em vibrações de saúde, de equilíbrio, de paz ou de harmonia. Também podemos vibrar mentalmente pela paz mundial, por um país, por alguém ou pelo sucesso de um empreendimento. A irradiação pode ser secundada pela prece, mas não é obrigatório, "[...] a prece aproxima o homem do Altíssimo; é o traço de união entre o céu e a Terra: não esqueçais."[201]

---

201 KARDEC, Allan. *O evangelho segundo o espiritismo*. Cap. II, it. 8, p. 50, 2013.

REFERÊNCIAS

1. KARDEC, Allan. *O evangelho segundo o espiritismo*. 2. ed. 1. imp. Trad. Evandro Noleto Bezerra. Brasília: FEB, 2013.
2. _____. *O livro dos espíritos*. Trad. Evandro Noleto Bezerra. 4. ed., 1. imp. Brasília: FEB, 2013.
3. _____. *O livro dos médiuns*. Trad. Evandro Noleto Bezerra. 2. ed. 1. imp. Brasília: FEB, 2013.
4. FRANCO, Divaldo Pereira. *Estudos espíritas*. Pelo Espírito Joanna de Ângelis. 9. ed. 2. imp. Brasília: FEB, 2013.
5. HOUAISS, Antônio; VILLAR, Mauro de Salles. *Dicionário Houaiss da Língua Portuguesa*. Rio de Janeiro: Objetiva, 2009.
6. XAVIER, Francisco Cândido; VIEIRA, Waldo. *Estude e viva*. Pelos Espíritos Emmanuel e André Luiz. 14. ed. 2 imp. Brasília: FEB, 2013.
7. XAVIER, Francisco Cândido. *Seara dos médiuns*. Pelo Espírito Emmanuel. 20. ed. 1. reimp. Brasília: FEB, 2013.

PROGRAMA I – MÓDULO II – TEMA 2

TRANSES

Todas as manifestações do psiquismo humano, boas ou más, fazem ressonância na mente do ser encarnado ou desencarnado. As ocorrências mediúnicas não poderiam ser diferentes, considerando-se a afirmação do Espírito André Luiz de que "[...] a mente permanece na base de todos os fenômenos mediúnicos".[202] Emmanuel, por sua vez, lembra que todos nós

> [...] somos médiuns, dentro do campo mental que nos é próprio, associando-nos às energias edificantes, se o nosso pensamento flui na direção da vida superior, ou às forças perturbadoras e deprimentes, se ainda nos escravizamos às sombras da vida primitivista ou torturada.[203]

A partir dessa perspectiva, compreende-se que, independentemente do plano de vida no qual o indivíduo humano se encontra e do nível de conhecimento moral e intelectual que possua, cada "[...] criatura com os sentimentos que lhe caracterizam a vida íntima emite raios específicos e vive na onda espiritual com que se identifica."[204] Resulta daí, de forma indiscutível, que:

> Cada médium com a sua mente. Cada mente com os seus raios, personalizando observações e interpretações. E, conforme os raios que arremessamos, erguer-se-nos-á o domicílio espiritual na onda de pensamentos a que nossas almas se afeiçoam. Isso, em boa síntese, equivale ainda a repetir com Jesus: A cada qual segundo as suas obras.[205]

Assim, para que ocorra boa prática mediúnica, o indivíduo precisa ter noção de como funciona a sua mente e de qual é o seu potencial mental.

> [...] Para que um Espírito possa comunicar-se, é preciso que haja relações fluídicas entre ele e o médium, que nem sempre se estabelecem instantaneamente. Só à medida que a faculdade se desenvolve é que o médium adquire pouco a pouco a aptidão necessária para pôr-se em comunicação com o Espírito que se apresente. Pode acontecer, portanto, que aquele com quem o médium

---

202 XAVIER, Francisco Cândido. *Nos domínios da mediunidade*. Cap. 1, p. 13, 2011.
203 Id. Ibid. Introdução (Raios, ondas, médiuns, mentes...), p. 9.
204 Id. Ibid., p. 9.
205 Id. Ibid., p. 10.

deseje comunicar-se, não esteja em condições propícias a fazê-lo, *embora se ache presente*, como também pode suceder que não tenha possibilidade, nem permissão para atender ao pedido que lhe é feito. [...] "[206] (grifo no original).

1 CONCEITO DE TRANSE

A palavra transe (do latim *transitus*, significa ir além, trespassar, ultrapassar) é genericamente entendida como qualquer alteração do estado da consciência. Segundo o pesquisador Jaime Cerviño, no seu livro *Além do inconsciente*, transe pode ser considerado "[...] um estado especial, entre a vigília e o sono, que de alguma sorte abre as portas da subconsciência [...]."[207]

2 GRAUS DO TRANSE

O transe, mediúnico ou não, pode apresentar dois estados extremos: superficial (ou consciente) e profundo (inconsciente ou sonambúlico). Entretanto, entre um e outro estado há inúmeras gradações que caracterizam o transe parcial (ou semiconsciente).

No transe superficial "[...] não há amnésia lacunar, o paciente se recorda de tudo e pode, inclusive, pôr em dúvida o fato de ter permanecido em transe. [...] [O] transe profundo ou sonambulismo [é] caracterizado pela extrema sugestibilidade e amnésia lacunar."[208] Amnésia lacunar é o esquecimento de acontecimentos vividos ou presenciados durante o transe.

Léon Denis esclarece que, durante o transe profundo, ocorre uma espécie de sono magnético

> [...] que permite ao corpo fluídico exteriorizar-se, desprender-se do corpo carnal, e à alma tornar a viver por um instante sua vida livre e independente. A separação, todavia, nunca é completa; a separação absoluta seria a morte. Um laço invisível continua a prender a alma ao seu invólucro terrestre. Semelhante ao fio telefônico que assegura a transmissão entre dois pontos, esse laço fluídico permite à alma desprendida transmitir suas impressões pelos órgãos do corpo adormecido. No transe, o médium fala, move-se, escreve automaticamente; desses atos, porém, nenhuma lembrança conserva ao despertar.[209]

---

206 KARDEC, Allan. *O livro dos médiuns*. Segunda parte, cap. XVII, it. 203, p. 206, 2013.
207 CERVIÑO, Jayme. *Além do inconsciente*. Cap. 1, it. O transe, p. 17.
208 Id. Ibid., it. Fases do transe, p. 21.
209 DENIS, Léon. *No invisível*. Segunda parte, cap. XIX, p. 349.

A duração do transe varia conforme as circunstâncias e as condições físicas e psíquicas da pessoa: "[...] pode ser fugaz e imperceptível para os circunstantes — um súbito mergulho no inconsciente — ou prolongado com visíveis alterações do estado psíquico. [...]"[210]

André Luiz, ao citar o assistente Áulus na obra *Nos domínios da mediunidade*, informa que "[...] todos os seres vivos respiram na onda de psiquismo dinâmico que lhes é peculiar, dentro das dimensões que lhes são características ou na frequência que lhes é própria [...]."[211] Contudo, como o médium é, acima de tudo, um intérprete das ideias dos Espíritos comunicantes, o orientador espiritual esclarece que

> [...] examinando [...] os valores anímicos como faculdades de comunicação entre os Espíritos, qualquer que seja o plano em que se encontrem, não podemos perder de vista o mundo mental do agente e do recipiente, porquanto, em qualquer posição mediúnica, a inteligência receptiva está sujeita às possibilidades e à coloração dos pensamentos em que vive, e a inteligência emissora jaz submetida aos limites e às interpretações dos pensamentos que é capaz de produzir.[212]

Sendo assim, o estudo do transe não pode desconsiderar a ação anímica do médium, de ocorrência usual, mesmo nos transes sonambúlicos (ou profundos). Daí constar em *O livro dos médiuns* que os bons médiuns são os considerados como bons intérpretes, condição que lhes permite sejam procurados com maior frequência pelos Espíritos esclarecidos: "[...] Procuram o intérprete que mais simpatize com eles e que exprima com mais exatidão os seus pensamentos. [...]"[213]

3 TIPOS DE TRANSE

Para fins deste estudo, vamos classificá-lo em três tipos:

- Transe patológico
- Transe espontâneo ou natural
- Transe provocado ou induzido

---

210 CERVIÑO, Jayme. Op. Cit. Cap. 1, it. Duração do transe, p. 21.
211 XAVIER, Francisco Cândido. *Nos domínios da mediunidade*. Cap.1, p. 16, 2011.
212 Id. Ibid.
213 KARDEC, Allan. *O livro dos médiuns*. Segunda parte, cap. XIX, it. 223, nº 8, p. 227, 2013.

No *transe patológico*

"[...] o fator mórbido atua como desencadeante. Traumatismos, particularmente crânios-encefálicos, estado de coma, delírio febril, período pré-agônico, são algumas condições em que, suprimidas ou modificadas as relações normais com o mundo exterior, surge eventualmente o transe, estabelecendo contato com esse outro mundo interno, a subsconsciência. [...]"[214]

Os *transes espontâneos* ou *naturais* ocorrem em pessoas naturalmente predispostas: médiuns e sonâmbulos.[215]

As principais formas do *transe provocado* ou *induzido* decorrem: a) da ação magnética (hipnose e sugestibilidade); b) dos efeitos de substâncias químicas (medicamentos, drogas lícitas e ilícitas). Nessas condições ocorre um bloqueio cortical, mais ou menos intenso da atividade cerebral, capaz de conduzir a pessoa ao estado de transe, situado entre a vigília, propriamente dita, e o sono. (Este assunto será objeto de estudo mais aprofundado no Programa II, deste curso *Mediunidade: Estudo e prática*.)

---

214 CERVIÑO, Jayme. *Além do inconsciente*. Cap. 1, it. As formas do transe, p. 23.
215 Id. Ibid., p. 23.

ATIVIDADE PRÁTICA 2: COMO FAZER A IRRADIAÇÃO MENTAL

Objetivos do exercício

> Identificar requisitos mínimos para irradiar o pensamento por meio do controle da vontade.

> Fazer uma irradiação mental, a título de orientação geral.

> Prosseguir com o exercício de prece.

Sugestões ao monitor

1. Realizar demonstração prática de irradiação mental, projeções de ideias e/ou imagens, em benefício de um doente ou de alguém, especificamente necessitado de auxílio espiritual. (Veja os esclarecimentos fornecidos no exercício 1, anteriormente estudado.)

2. É importante considerar que:

    - A irradiação deve ser breve.
    - A projeção de ideias e/ou imagens deve ser objetiva a fim de produzir boa repercussão na mente de quem ouve.
    - Pode-se colocar música suave, em surdina, durante a irradiação, desde que esta não dificulte a realização do exercício.
    - Evitar que a música se torne imprescindível à irradiação.

3. Após o exercício, ouvir impressões dos participantes e, em seguida, proferir breve prece de encerramento da reunião.

APRENDENDO A FAZER IRRADIAÇÕES MENTAIS

Os participantes acompanham, mentalmente, as irradiações que o monitor propõe, mantendo os olhos fechados para evitar qualquer tipo de dispersão visual.

No lar, exercitar a capacidade de irradiar o pensamento por meio do controle da vontade, em momentos propícios, quais sejam: durante a prece ou na reunião do Evangelho no Lar.

REFERÊNCIAS

1. KARDEC, Allan. *O livro dos médiuns*. Trad. Evandro Noleto Bezerra. 2. ed. 1. imp. Brasília: FEB, 2013.
2. CERVIÑO, Jayme. *Além do inconsciente*. 6. ed. Rio de Janeiro: FEB, 2007.
3. DENIS, Léon. *No Invisível*. 1. edição especial. 1. reimp. Rio de Janeiro: FEB, 2008.
4. XAVIER, Francisco Cândido. *Nos domínios da mediunidade*. Pelo Espírito André Luiz. 35. ed. Brasília: FEB, 2011.

PROGRAMA I – MÓDULO II – TEMA 3

AÇÃO DOS FLUIDOS, DO PERISPÍRITO E DA MENTE NA COMUNICAÇÃO MEDIÚNICA

A Doutrina Espírita tem como fundamento básico que Deus é o Criador supremo do universo e que, em sua Criação, há dois elementos gerais e distintos: a) o *princípio material* — do qual origina o *fluido cósmico universal*, *cosmo* ou *matéria cósmica primitiva*,[216] que entra na constituição de todos os corpos materiais, visíveis e invisíveis; b) o *princípio espiritual*, também denominado pela Codificação Espírita de *espírito* (com "e" minúsculo) — que dá origem aos seres inteligentes, como a espécie humana.[217]

Para que ocorra a evolução e a diversidade de matérias e de seres existentes no universo faz-se necessário a união dos dois elementos gerais, considerando que a "[...] matéria é o laço que prende o espírito; é o instrumento de que este se serve e sobre o qual, ao mesmo tempo, exerce sua ação."[218]

Em se tratando do ser humano ou Espírito, entendido como a individualização do *espírito* (princípio inteligente) após a sua longa elaboração nos reinos inferiores da matéria, a mente age sobre o corpo físico através do *perispírito*, a fim de produzir toda sorte de manifestações, inclusive as mediúnicas.

A comunicação mediúnica, propriamente dita, envolve a participação de fluidos, do perispírito e da mente, formando um *circuito mediúnico* entre o médium e o Espírito comunicante.

> Aplica-se o conceito de circuito mediúnico à extensão do campo de integração magnética em que circula uma corrente mental, sempre que se mantenha a sintonia psíquica entre os seus extremos ou, mais propriamente, o emissor e o receptor. O circuito mediúnico, dessa maneira, expressa uma

---

216 KARDEC, Allan. *A gênese*. Cap. VI, it. 5 e 7, p. 93-94, 2013.
217 Id. *O livro dos espíritos*. Q. 21, 22, 22-a, 23 e 25, p. 60-61, 2013.
218 Id. Ibid., q. 22-a, p.60.

"vontade-apelo" e uma "vontade-resposta", respectivamente, no trajeto ida e volta, definindo o comando da entidade comunicante e a concordância do médium [...].[219]

1 INTERAÇÃO ENTRE OS FLUIDOS, O PERISPÍRITO E A MENTE DURANTE A COMUNICAÇÃO MEDIÚNICA

- Fluidos

Os *fluidos*, substâncias que possuem a capacidade de expandir, são construídos a partir da matéria cósmica primitiva. Os fluidos são encontrados em ambos os planos de vida. André Luiz esclarece a respeito:

> Definimos o fluido, dessa ou daquela procedência, como um corpo cujas moléculas cedem invariavelmente à mínima pressão, movendo-se entre si, quando retidas por um agente de contenção, ou separando-se, quando entregues a si mesmas. Temos, assim, os fluidos líquidos, elásticos ou aeriformes e os outrora chamados fluidos imponderáveis, tidos como agentes dos fenômenos luminosos, caloríficos e outros mais.[220]

Na fase inicial da manifestação mediúnica, o Espírito comunicante envolve o médium nos próprios fluidos a fim de que a sua presença seja percebida por meio das sensações que repercutem no corpo físico do medianeiro. O envolvimento fluídico permanecerá durante todo o processo da comunicação mediúnica, mas é nessa primeira fase que o médium capta as necessidades básicas do comunicante, por exemplo, "[...] os sofrimentos da fome, do frio, etc., sofrimentos que os Espíritos superiores não podem experimentar [...]."[221]

Após o envolvimento fluídico, inicia-se a segunda etapa da comunicação mediúnica caracterizada pela conexão perispiritual, a qual permite maior aproximação entre o Espírito comunicante e o médium, condição que dá ao primeiro a oportunidade de expor com mais clareza os seus sentimentos, emoções e intenções. Neste momento, caso o médium se sinta inseguro, pode romper a ligação com o Espírito, evitando a etapa final, a de união mental, que caracteriza o circuito mediúnico, propriamente dito.

- Perispírito

---

219 XAVIER, Francisco Cândido; VIEIRA, Waldo. *Mecanismos da mediunidade*. Cap. 6, it. Conceito de circuito mediúnico, p. 49-50, 2013.
220 Id. *Evolução em dois mundos*. Primeira parte, cap.13, p. 97, 2013.
221 KARDEC, Allan. *O livro dos médiuns*. Primeira parte, cap. IV, it. 51, p. 83, 2013.

O *perispírito*, definido como "[...] corpo fluídico dos Espíritos, é um dos produtos mais importantes do fluido cósmico; é uma condensação desse fluido em torno de um foco de inteligência ou *alma*."[222] É constituído de substâncias materiais, sendo estas, porém, mais etéreas (semimateriais): "O perispírito é mais ou menos etéreo, conforme os mundos e o grau de depuração do Espírito. Nos mundos e nos Espíritos inferiores, ele é de natureza mais grosseira e se aproxima muito da matéria bruta".[223]

> Durante a encarnação, o Espírito conserva o seu perispírito, não passando o corpo, para ele, senão de um segundo envoltório mais grosseiro, mais resistente, apropriado às funções que deve executar e do qual o Espírito se despoja por ocasião da morte. O perispírito serve de intermediário entre o Espírito e o corpo. É o órgão de transmissão de todas as sensações. Em relação às que vêm do exterior, pode-se dizer que o corpo recebe a impressão; o perispírito a transmite, e o Espírito, que é o ser sensível e inteligente, a recebe. Quando o ato é de iniciativa do Espírito, pode-se dizer que o Espírito quer, o perispírito transmite e o corpo executa.[224]

Com base nessas e outras informações, o Espírito Lamennais esclarece a ação do perispírito nas comunicações mediúnicas: "[...] O perispírito, para nós outros Espíritos errantes, é o agente por meio do qual nos comunicamos convosco, quer indiretamente, pelo vosso corpo ou pelo vosso perispírito, quer diretamente, pela vossa alma. Daí, a infinita variedade de médiuns e de comunicações."[225]

A interação perispírito-perispírito, estabelecida entre o comunicante espiritual e o médium, favorece a multiplicidade de manifestações mediúnicas, definidas pela ligação mental de ambos.

> Atuando sobre a matéria, os Espíritos podem manifestar-se de muitas maneiras diferentes: por efeitos físicos, tais como os ruídos e a movimentação de objetos; pela transmissão do pensamento, pela visão, pela audição, pela palavra, pelo tato, pela escrita, pelo desenho, pela música, etc. Numa palavra, por todos os meios que sirvam a pô-los em comunicação com os homens.[226]

---

222 KARDEC, Allan. *A gênese*. Cap. XIV, it. 7, p. 236 e 237, 2013.
223 Id. *Obras póstumas*. Primeira parte, cap. I, it. 9, p. 66, 2009.
224 Id. Ibid. Primeira parte, cap. I, it. 10, p. 66-67, 2009.
225 Id. *O livro dos médiuns*. Primeira parte, cap. IV, it. 51, p. 57, 2013.
226 Id. *Obras póstumas*. Primeira parte, cap. I, it. 14, p. 68.

- Mente

Mente é palavra que abrange o conjunto de "processos mentais ou atividades psíquicas do indivíduo."[227] Emmanuel afirma que "[...] somos impelidos a interpretá-la como sendo o campo de nossa consciência desperta, na faixa evolutiva em que o conhecimento adquirido nos permite operar."[228] Este mesmo orientador espiritual utiliza a metáfora organizacional para dizer:

> Comparemos a mente humana — espelho vivo da consciência lúcida — a um grande escritório, subdividido em diversas seções de serviço. Aí possuímos o departamento do desejo, em que operam os propósitos e as aspirações, acalentando o estímulo ao trabalho; o departamento da inteligência, dilatando os patrimônios da evolução e da cultura; o departamento da imaginação, amealhando as riquezas do ideal e da sensibilidade; o departamento da memória, arquivando as súmulas da experiência. [...][229]

Cada mente é uma fonte de emissão e recepção de ondas mentais que se combinam por meio dos mecanismos da associação que, por sua vez, depende da afinidade e da sintonia a fim de formar correntes mentais que permeiam a atmosfera psíquica na qual estamos mergulhados: "Achando-se a mente na base de todas as manifestações mediúnicas, quaisquer que sejam os característicos em que se expressem, é imprescindível enriquecer o pensamento, incorporando-lhe os tesouros morais e culturais [...]."[230]

Resulta daí a união mental entre o comunicante espiritual e o médium que estabelece a formação de um circuito, no qual o Espírito manifestante define uma "vontade-apelo"[231] e o medianeiro uma "vontade-resposta".[232]

A comunicação mediúnica está diretamente subordinada ao conhecimento que o médium possui e à sua conduta moral, sobretudo quando se refere a mensagens instrutivas provenientes de Espíritos superiores. A afinidade com as ideias do Espírito comunicante é, pois, fundamental, no momento da comunicação: "[...] se não houver afinidade entre eles, o Espírito do médium pode alterar as respostas e assimilá-las às suas próprias ideias e inclinações. Porém, *não exerce influência sobre os*

---

227 CABRAL, Álvaro; NICK, Eva. *Dicionário técnico de psicologia*, p. 193, 2001.
228 XAVIER, Francisco Cândido. *Pensamento e vida*. Cap. 1, p. 9, 2013.
229 Id. Ibid. Cap. 2, p.11.
230 Id. *Nos domínios da mediunidade*. Cap. 1, p. 16, 2011.
231 XAVIER, Francisco Cândido; VIEIRA, Waldo. *Mecanismos da mediunidade*. Cap.6, it. Conceito de circuito mediúnico, p. 50, 2013.
232 Id. Ibid, p. 50.

Espíritos comunicantes, autores das respostas. É apenas um mau intérprete."²³³ (grifo no original).

As afinidades fluídicas, perispirituais e mentais precisam ser bem compreendidas pelo médium, caso contrário a comunicação mediúnica pode ser inviabilizada ou apresentar má qualidade na recepção do pensamento do Espírito comunicante. Em *O livro dos médiuns,* capítulo XIX, os Espíritos Erasto e Timóteo apresentam esclarecedora dissertação mediúnica que merece ser lida com atenção. Destacamos o seguinte:

1. "Os nossos pensamentos não precisam da vestimenta da palavra para serem compreendidos. [...] Quer dizer que tal pensamento pode ser compreendido por tais ou quais Espíritos, conforme o adiantamento deles [...]."²³⁴

2. "Assim, quando encontramos em um médium o cérebro repleto de conhecimentos adquiridos na vida atual e o seu Espírito rico de conhecimento latentes [...] preferimos nos servir dele, porque com ele o fenômeno de comunicação se torna muito mais fácil para nós. [...]"²³⁵

> Com um médium cuja inteligência atual ou anterior se ache desenvolvida, o nosso pensamento se comunica instantaneamente de Espírito a Espírito, graças a uma faculdade peculiar à essência mesma do Espírito. Nesse caso, encontramos no cérebro do médium os elementos apropriados a dar ao nosso pensamento a vestimenta da palavra que lhe corresponda, e isto quer o médium seja intuitivo, semimecânico ou inteiramente mecânico. É por isso que, seja qual for a diversidade dos Espíritos que se comunicam com um médium, os ditados que este obtém, ainda que procedendo de Espíritos diferentes, trazem, quanto à forma e ao colorido, o cunho que lhe é pessoal [...].²³⁶

---

233 KARDEC, Allan. *O livro dos médiuns*. Segunda parte, cap. XIX, it. 223, n° 7, p. 227, 2013.
234 Id. Ibid., it. 225, p. 233.
235 Id. Ibid., it. 225, p. 233.
236 Id. Ibid., p. 233.

ATIVIDADE PRÁTICA 3: EXERCÍCIO DE IRRADIAÇÃO MENTAL

Objetivos do exercício

> Realizar exercício de irradiação mental em benefício da paz mundial.
> Prosseguir com o exercício de prece.

Sugestões ao monitor

1. Pedir aos participantes que acompanhem mentalmente a irradiação que será proferida, em voz alta, em prol da paz mundial.
2. Esclarecer que é importante que cada um focalize a atenção nas palavras e nas frases pronunciadas durante a irradiação, criando, assim, quadros mentais favoráveis.
3. Avaliar, junto aos participantes, como foi a produção dos quadros mentais e as sensações que estes viabilizaram.
4. Encerrar a reunião com breve prece de agradecimento.

REFERÊNCIAS

1. KARDEC, Allan. *O livro dos espíritos*. Trad. Evandro Noleto Bezerra. 4. ed. 1. imp. Brasília: FEB, 2013.
2. _____. *A gênese*. 2. ed. 1. imp. Trad. Evandro Noleto Bezerra. Brasília: FEB, 2013.
3. _____. *O livro dos médiuns*. Trad. Evandro Noleto Bezerra. 2. ed. 1. imp. Brasília: FEB, 2013.
4. _____. *Obras póstumas*. Trad. Evandro Noleto Bezerra. 1. ed. Rio de Janeiro: FEB, 2009.
5. CABRAL, Álvaro; NICK, Eva. *Dicionário técnico de psicologia*. 11. ed. São Paulo: Cultrix, 2001.
6. XAVIER, Francisco Cândido; VIEIRA, Waldo. *Evolução em dois mundos*. Pelo Espírito André Luiz. 27. ed.1. imp. Brasília: FEB, 2013.
7. XAVIER, Francisco Cândido. *Pensamento e vida*. Pelo Espírito Emmanuel. 19. ed. 1. imp. Brasília: FEB, 2013.
8. _____. *Nos domínios da mediunidade*. Pelo Espírito André Luiz. 34. ed. 4. reimp. Rio de Janeiro: FEB, 2011.
9. _____. *Mecanismos da mediunidade*. Pelo Espírito André Luiz. 28. ed. 1. reimp. Brasília: FEB, 2013.

PROGRAMA I – MÓDULO II – TEMA 4

LABORATÓRIO DO MUNDO INVISÍVEL

Entre as surpresas que as narrativas espíritas apresentam a respeito das diferentes dimensões do plano espiritual, um fato se destaca: o mundo invisível é semelhante ao visível, ou plano físico. Daí o Espírito André Luiz transmitir informações, algumas até corriqueiras, por ele presenciadas na região inferior para onde foi conduzido logo após a sua desencarnação: "[...] Persistiam as necessidades fisiológicas, sem modificação. Castigava-me a fome todas as fibras, e, nada obstante, o abatimento progressivo não me fazia cair definitivamente em absoluta exaustão. [...]"[237]

Irmão Jacob, pseudônimo do Espírito Frederico Figner, relata no livro *Voltei*, impressionado com a paisagem escura e perturbada que atravessara por ocasião do seu desenlace, recebendo do irmão Andrade que o auxiliou após a desencarnação, a explicação de que tal paisagem representava

> [...] reflexos da mentalidade humana, em torno da crosta planetária, acentuando, todavia, que a verificação não fornecia razões de alarme, uma vez que, se um homem respira cercado pelas irradiações dos próprios pensamentos, o mundo — casa dos homens — se reveste das emanações mentais da maioria de seus habitantes. [...][238]

O Espírito Camilo Cândido Botelho, em *Memórias de um suicida*, narra que por ocasião da visita de entes queridos aos internos na *Colônia Maria de Nazaré*:[239]

> Bondosas e caritativas, como toda mulher que tem a educação moral inspirada no ideal divino, as damas vigilantes dispuseram os parques para a grande recepção que se verificaria no dia imediato, utilizando toda a habilidade de que eram capazes; e, com arte e talento, criaram recantos dulcíssimos para nossa sensibilidade, ambientes íntimos encantadores por nos falarem às recordações

---

237 XAVIER, Francisco Cândido. *Nosso Lar*. Cap. 2, p. 23.
238 Id. *Voltei*. Cap. 9, it. Recebendo explicações, p. 81.
239 Instituição benemérita de auxílio aos suicidas, mantida sob o amparo de Maria de Nazaré no plano espiritual.

mais queridas da infância como da juventude. [...] Muitos deles traduziam o lar paterno [...]. Outros lembrariam cenários edificados sob as doçuras da afeição conjugal [...]. E, foi, pois, no próprio cenário que figurava a casa onde nasci, que tive a inefável satisfação de rever a minha mãe querida [...]. Revi a minha esposa [...]. E recebi-os como se estivéssemos em nosso antigo lar terreno: os mesmos móveis, a mesma decoração interna, a mesma disposição do ambiente que eu tão bem conhecera...[240]

No plano espiritual há inúmeras moradas, todas revestidas de detalhes que indicam as condições evolutivas dos seus habitantes. Nas regiões melhoradas, destacam-se a elegância e a simplicidade da apresentação pessoal dos seus habitantes, o cuidado com certos detalhes, como objetos e decoração dos ambientes, refletindo beleza arquitetônica das edificações e o esplendor da natureza.

André Luiz traz notícias de bosques, parques educativos, dos mananciais de água, dos salões naturais que reproduzem quadros da passagem de Jesus pela Terra, e ainda descreve a formosura do salão da ministra Veneranda: "[...] a conservação exige cuidados permanentes, mas a beleza dos quadros representa vasta compensação", acrescenta sua amiga Narcisa, habitante de Nosso Lar.[241]

Em *O livro dos médiuns*, Allan Kardec apresenta a seguinte questão: "[...] Mas, onde eles vão buscar esses vestuários, semelhantes em tudo aos que usavam quando vivos [encarnados], com todos os acessórios que os completavam?"[242]

Para responder a indagação, supôs que as vestimentas dos Espíritos poderiam ser parte integrante da forma natural dos Espíritos se apresentarem, mas, indaga, e quanto aos objetos e acessórios? Teriam eles correspondentes no mundo invisível? Ou seriam apenas impressões ou, até mesmo, mera aparência? A resposta às perguntas foi fornecida pelo Espírito São Luiz, e se resume no seguinte: todos os objetos são elaborados a partir do fluido cósmico. Em relação ao vestuário, este é confeccionado com auxílio de elementos materiais que entram na composição do perispírito.[243]

No item 116 de *O livro dos médiuns*, Kardec narra o caso de uma senhora que, estando acamada por enfermidade, viu por duas noites a presença de uma pessoa conhecida, que morava em sua cidade. Ela sempre o via sentado

---
240 PEREIRA, Yvonne do Amaral. *Memórias de um suicida*. Pt. 3, it. O homem velho, p. 452 e 453.
241 XAVIER, Francisco Cândido Xavier. *Nosso Lar*. Cap. 32, p. 213, 2010.
242 KARDEC, Allan. *O livro dos médiuns*. Segunda parte, cap. VIII, it. 126, p. 135, 2013.
243 Id. Ibid. It. 128, nº 3, p. 137 e 138.

em uma poltrona aos pés da própria cama, trazendo às mãos uma caixa de rapé de onde tirava uma ou outra pitada. Não conseguia falar com ele, que sempre lhe fazia sinal para que dormisse. Tempos depois, já recuperada do susto que a aparição lhe causara, e da doença, recebeu a visita desse senhor: "[...] dessa vez, era ele realmente quem estava lá. Usava a mesma roupa, a mesma caixa de rapé e os modos eram os mesmos. [...] "[244]

Um exemplo clássico é o da escrita direta, na qual palavras e dissertações escritas utilizam tintas de cores diferentes, e que surgem no ar, na madeira, no papel, etc., sem que haja intervenção direta da pessoa encarnada. Kardec ressalta que, à primeira vista, poder-se-ia supor que o Espírito escrevia com apoio de um lápis. Verificou posteriormente que não era o que acontecia: "[...] Desde, porém, que o papel é deixado inteiramente só, torna-se evidente que a escrita se formou por meio de uma matéria depositada sobre ele. De onde o Espírito tirou esta matéria?"[245] A explicação, fornecida por São Luiz foi esta:

> [...] Os Espíritos dispõem, sobre os elementos materiais disseminados por todos os pontos do espaço, na vossa atmosfera, de um poder que estais longe de suspeitar. Podem, pois, concentrar à vontade esses elementos e dar-lhes a forma aparente que corresponda à dos objetos materiais.[246]

O fluido cósmico universal é suscetível de transformações pelo homem encarnado e desencarnado, produzindo não só diversidades de matérias, como também mudanças nas matérias existentes. Por exemplo, transformar corpos opacos em transparentes e vice-versa. Consta o seguinte em *O livro dos médiuns*:

> [...] Ora, assim como o Espírito, servindo-se apenas da sua vontade, é capaz de exercer uma ação tão poderosa sobre a matéria elementar, por que não admitir que ele possa não só formar substâncias, mas também alterar as suas propriedades, usando como reativo a própria vontade?[247]

Vemos, então, a importância da vontade na realização de qualquer tipo de fenômeno, exercida não só pelo Espírito errante — aquele que aguarda a próxima reencarnação — como também pelo encarnado. Na verdade, a vontade funciona como a "[...] gerência esclarecida e vigilante, governando todos os setores da ação mental",[248] ensina Emmanuel.

---

244 KARDEC, Allan. *O livro dos médiuns*. Segunda parte, cap. VII, it. 116, p. 127.
245 Id. Ibid. Cap. VIII, it.127, p. 137.
246 Id. Ibid. Segunda parte, cap. VIII, it. 128, nº 4, p. 138, 2013.
247 Id. Ibid. It. 130, p. 141 e 142.
248 XAVIER, Francisco Cândido. *Pensamento e vida*, cap. 2, p. 11, 2013.

A vontade exerce, portanto, papel fundamental na produção de todos os fenômenos mediúnicos e anímicos, inclusive na transmissão de fluidos magnéticos espirituais pelo passe, atividade corriqueira da Casa Espírita.

> Sabe-se do papel capital que desempenha a vontade em todos os fenômenos do magnetismo. Porém como explicar a ação material de um agente tão sutil? [...] A vontade é atributo essencial do Espírito, isto é, do ser pensante. Com o auxílio dessa alavanca, ele atua sobre a matéria elementar e, por uma ação consecutiva, reage sobre os seus componentes, possibilitando assim a transformação de suas propriedades íntimas.[249]

---

249 KARDEC, Allan. *O livro dos médiuns*. Segunda parte, cap. VIII, it.131, p. 142, 2013.

ATIVIDADE PRÁTICA 4: EXERCÍCIO DE IRRADIAÇÃO MENTAL ASSOCIADO À PRECE

Objetivos do exercício

> Realizar irradiação mental, associada à prece, em benefício dos suicidas.

> Prosseguir com o exercício de prece.

Sugestões ao monitor

1. Envolver os suicidas em vibrações fluídicas e mentais elevadas, viabilizadas por uma prece proferida em voz alta.

2. Irradiar bons pensamentos e bons fluidos, a fim de proporcionar alívio às dores que esses irmãos desencarnados padecem.

3. Ouvir os participantes quanto às suas sensações e percepções.

4. Considerar a prece proferida em conjunto com a irradiação como a de encerramento da reunião.

REFERÊNCIAS

1   KARDEC, Allan. *O livro dos médiuns*. Trad. Evandro Noleto Bezerra. 2. ed. 1. imp. Brasília: FEB, 2013.

2   PEREIRA, Yvonne do Amaral. *Memórias de um suicida*. Pelo Espírito Camilo Cândido Botelho. 27. ed. 2. imp. Brasília: FEB, 2013.

3   XAVIER, Francisco Cândido. *Nosso Lar*. Pelo Espírito André Luiz. 61. ed. 1 reimp. Rio de Janeiro: FEB, 2010.

4   _____. *Pensamento e vida*. Pelo Espírito Emmanuel. 19. ed. 1. imp. Brasília: FEB, 2013.

5   _____. *Voltei*. Pelo Espírito Irmão Jacob. 27. ed. 7. imp. Brasília: FEB, 2013.

PROGRAMA I – MÓDULO II – TEMA 5

AS REUNIÕES MEDIÚNICAS SÉRIAS: NATUREZA E CARACTERÍSTICAS

As reuniões mediúnicas, assinala Allan Kardec, são importantes para a aquisição de conhecimento a respeito do mundo espiritual e dos seus habitantes e também para incentivar o estudo e esclarecimento dos participantes, favorecendo a troca de ideias e observações em comum. Para obter bons resultados devem funcionar como um todo coletivo e serem realizadas sob condições especiais de controle.[250]

A natureza e as características dessas reuniões estão, necessariamente, relacionadas ao nível de conhecimento e ao caráter moral dos seus integrantes. Podem, então, ser classificadas em: *frívolas, experimentais e instrutivas*.

1 NATUREZA E CARACTERÍSTICAS DAS REUNIÕES MEDIÚNICAS

> As *reuniões frívolas* se compõem de pessoas que só veem o lado divertido das manifestações, e que se divertem com os gracejos dos Espíritos levianos. Estes as apreciam bastante e a elas não faltam, por aí gozarem de inteira liberdade para se exibirem. São nessas reuniões que se perguntam banalidades de toda sorte [...][251] (grifo no original).

Não se trata de uma reunião mediúnica espírita, propriamente dita, e os Espíritos superiores não comparecem a essas reuniões.

As *reuniões experimentais*, à época de Kardec, serviam mais particularmente à produção de manifestações físicas, e foram realizadas por eminentes estudiosos e por autoridades do mundo científico. A curiosidade é um dos fatores que motivam a participação nessas reuniões e, ainda que

---

250 KARDEC, Allan. *O livro dos médiuns*. Segunda parte, cap. XXIX, it. 324, p. 359, 2013.
251 Id. Ibid., it. 325, p. 359–360.

ocorram bons fenômenos mediúnicos, estes nem sempre são suficientes para convencer os presentes e torná-los espíritas. O Codificador acrescenta os comentários que se seguem.

> Apesar disso, as experiências desta ordem trazem uma utilidade que ninguém ousaria negar, já que foram elas que levaram à descoberta das leis que regem o mundo invisível e, para muita gente, constituem poderoso meio de convicção. Sustentamos, porém, que só por si elas são incapazes de iniciar uma pessoa na ciência espírita, do mesmo modo que a simples inspeção de um engenhoso mecanismo não torna conhecida a mecânica de quem não conheça suas leis. Contudo, se fossem dirigidas com método e prudência, dariam resultados muito melhores [...].[252]

Nos dias atuais tais reuniões persistem, sendo que estudiosos espíritas e não espíritas procuram conhecer peculiaridades da faculdade mediúnica e do médium, assim como da realidade extrafísica. Metapsíquicos e parapsicólogos, assim como acadêmicos da área médica e da física desenvolvem estudos em reuniões experimentais. Espíritos esclarecidos encontram-se presentes, auxiliando os experimentadores encarnados quando percebem a seriedade com que são conduzidos os trabalhos.

As *reuniões instrutivas*, como o nome indica, oferecem esclarecimentos e são assistidas por Espíritos de ordem elevada. Para tanto, aqueles que realmente desejam instruir-se precisam colocar-se em condições de atrair a presença e o amparo de Espíritos superiores, demonstrando sinceridade de propósitos, desejo de estudar os fenômenos e vontade de compreender as consequências morais do intercâmbio mediúnico. Neste sentido, Kardec destaca que uma "reunião só é verdadeiramente séria quando se ocupa de coisas úteis, com exclusão de todas as demais [...]"[253] (grifo no original).

> A instrução espírita não compreende apenas o ensinamento moral que os Espíritos dão, mas também o estudo dos fatos. Abrange a teoria de todos os fenômenos, a pesquisa das causas e, como consequência, a comprovação do que é e do que não é possível; em suma, a observação de tudo o que possa contribuir para o avanço da ciência.[254]

As *reuniões instrutivas* são as indicadas para serem realizadas nas casas espíritas, ainda que, a despeito da boa vontade dos seus integrantes e da seriedade na condução da atividade mediúnica, muitas reuniões nem sempre são consideradas instrutivas, propriamente ditas. São sérias,

---
252 KARDEC, Allan, *O livro dos médiuns*. Segunda parte, cap. XXIX, it. 326, p. 360.
253 Id. Ibid. Segunda parte, cap. XXIX, it. 327, p. 361, 2013.
254 Id. Ibid. It. 328, p. 361.

não resta dúvida, mas nem tudo que é sério é instrutivo. A razão para tal ocorrência está relacionada à insuficiência de estudos doutrinários que fornecem melhor compreensão relativa à prática mediúnica espírita e à ação dos Espíritos no plano físico.

2 CLASSIFICAÇÃO DAS COMUNICAÇÕES DOS ESPÍRITOS

A natureza e as características das reuniões mediúnicas estão intrinsecamente vinculadas aos tipos de comunicações que os Espíritos transmitem pela via mediúnica, os quais podem ser classificados em quatro categorias básicas: *grosseiras, frívolas, sérias e instrutivas.*

> *Comunicações grosseiras* são as que se traduzem por expressões que ferem o decoro. Só podem provir de Espíritos de baixa condição, ainda cobertos de todas as impurezas da matéria, e nada diferem das comunicações dadas por homens viciosos e grosseiros. [...] De acordo com o caráter dos Espíritos que as transmitem, serão triviais, ignóbeis, obscenas, insolentes, arrogantes, malévolas e mesmo ímpias[255] (grifo no original).

Os médiuns obsidiados transmitem comunicações grosseiras ou frívolas. Dominados por certos Espíritos, são induzidos a produzirem as mais vexatórias e variadas situações, provocadoras de grande sofrimento.

> *Comunicações frívolas* emanam de Espíritos levianos, zombeteiros ou brincalhões, mais maliciosos do que maus, e que não ligam a menor importância ao que dizem. Como nada contêm de indecoroso, essas comunicações agradam a certas pessoas, que com elas se divertem, porque encontram prazer nas conversações fúteis [...]. Esses Espíritos levianos pululam ao nosso redor e se aproveitam de todas as ocasiões para se intrometerem nas comunicações. Como a verdade é o que menos os preocupa, sentem malicioso prazer em mistificar os que têm a fraqueza e mesmo a presunção de acreditar nas suas palavras[256] (grifo no original).

Por incrível que pareça, as comunicações frívolas são mais comuns do que se supõe, mesmo nas casas espíritas. Os Espíritos comunicantes que integram essa categoria são ardilosos, maliciosos e irresponsáveis, em diferentes gradações, e, por serem assim, não medem as consequências dos seus atos: criam confusões, desentendimentos e discórdias entre os participantes, simplesmente movidos pelo divertimento ou pela

---

255 KARDEC, Allan, *O livro dos médiuns*. Segunda parte, cap. XXIX, it. 134, p.150.
256 Id. Ibid. It. 135, p. 150, 2013.

zombaria. O estudo e a boa conduta moral são recursos essenciais para neutralizar as suas ações. Os médiuns iniciantes, e os menos vigilantes, são seus alvos prediletos.

> *Comunicações sérias* são dignas de atenção quanto ao assunto e elevadas quanto à forma. Toda comunicação que exclui a frivolidade e grosseria e que tem em vista um fim útil, mesmo que seja de caráter particular, é uma comunicação séria, o que não significa que esteja sempre isenta de erros. Nem todos os Espíritos sérios são igualmente esclarecidos; há muita coisa que eles ignoram e sobre as quais podem enganar-se de boa fé. É por isso que os Espíritos verdadeiramente superiores nos recomendam sem cessar que submetamos todas as comunicações ao controle da razão [...] [257] (grifo no original).

Como foi assinalado anteriormente, a maioria das reuniões mediúnicas espíritas são sérias, o que não significa que sejam, verdadeiramente instrutivas, como bem ressaltou o Codificador, que, também, faz distinção entre *comunicações sérias verdadeiras e falsas*. Nem sempre é fácil distinguir uma da outra, mas com bom senso, paciência e conhecimento doutrinário espírita consegue-se obter bons resultados. A principal dificuldade está na capacidade de enganar que alguns Espíritos desenvolveram: utilizam linguagem mais sofisticada, referências intelectuais de peso, misturando ideias verdadeiras com falsas interpretações, às vezes de forma tão sutil que escapa à observação. Os Espíritos denominados pseudossábios são os que mais se manifestam dessa forma, isto é, mesclando verdades com falsidades, ou interpretações próprias, meramente opinativas, com consagrados ensinamentos, universalmente aceitos.

A prática da comunicação simultânea nas reuniões mediúnicas pode, muitas vezes, dificultar o discernimento se as comunicações são verdadeiramente sérias, ou instrutivas ou se ocorreu efetivo atendimento ao Espírito necessitado manifestante, uma vez que, como a manifestação dos Espíritos não foi percebida ou acompanhada por toda a equipe, a avaliação é prejudicada. Mesmo nos grupos mediúnicos muito ajustados, essa prática deve ser evitada, considerando que qualquer comunicação dos Espíritos é destinada a todos os membros da equipe.

> *Comunicações instrutivas* são comunicações sérias que têm como principal objetivo um ensinamento qualquer, dado pelos Espíritos, sobre as ciências, a moral, a filosofia, etc. São mais ou menos profundas, conforme o grau de elevação ou de *desmaterialização* do Espírito. [...] Os Espíritos sérios se apegam aos que desejam instruir-se e os ajudam em seus esforços, deixando aos

---

[257] KARDEC, Allan, *O livro dos médiuns*. Segunda parte, cap. XXIX, it. 136, p. 151.

Espíritos levianos a tarefa de divertirem os que só veem nas comunicações uma forma de distração passageira[258] (grifo no original).

Allan Kardec enfatiza que somente a regularidade e a continuidade das reuniões mediúnicas permitem apreciar a moralidade e o conhecimento intelectual dos Espíritos comunicantes. E remata, com muita lógica: "Ora, se é preciso experiência para julgar os homens, de muito mais habilidade necessitamos para julgar os Espíritos."[259]

---

258 KARDEC, Allan, *O livro dos médiuns*. Segunda parte, cap. XXIX, it. 137, p. 151, 2013.
259 Id. Ibid., p. 152.

ATIVIDADE PRÁTICA 5: EXERCÍCIO DE MENTALIZAÇÃO SILENCIOSA

Objetivos do exercício
> Realizar irradiações mentais, individuais e silenciosamente.
> Prosseguir com o exercício de prece.

Sugestões ao monitor
1. Projetar uma imagem de Jesus por meio de recursos de multimídia ou de audiovisual.
2. Pedir aos participantes que focalizem a atenção na figura do Mestre Nazareno, procurando gravar mentalmente esta imagem.
3. Em seguida, orientá-los a cerrar os olhos e, mental e silenciosamente, conversarem com Jesus.
4. Após a mentalização, ouvir relatos dos participantes, espontaneamente emitidos.
5. Solicitar a um dos participantes que profira a prece de encerramento da reunião.

REFERÊNCIA

1 KARDEC, Allan. *O livro dos médiuns.* Trad. Evandro Noleto Bezerra. 2. ed. 1. imp. Brasília: FEB, 2013.

INFLUÊNCIA MORAL DOS MÉDIUNS NAS COMUNICAÇÕES DOS ESPÍRITOS

É consenso doutrinário que a presença ou ausência de faculdade mediúnica desenvolvida não guarda relação com a moralidade do médium: "[...] A faculdade propriamente dita reside no organismo; independe do moral. O mesmo, porém, não se dá com o seu uso, que pode ser bom ou mau, de acordo com as qualidades do médium."[260]

Sabemos que a mediunidade é faculdade inerente ao psiquismo humano, de desenvolvimento natural e gradativo à medida que a pessoa ascende, moral e intelectualmente, os planos evolutivos da vida, ao longo das reencarnações sucessivas e dos estágios vividos no plano espiritual. Entretanto, a mediunidade pode ser concedida como um instrumento de melhoria espiritual, e, nestas condições, o indivíduo renasce com uma organização física compatível que demonstra sensibilidade aguçada para um ou outro tipo de mediunidade. É o que se denomina *mediunidade-tarefa*, ou *mediunidade-compromisso*.

Os médiuns que fazem mau uso da faculdade mediúnica responderão por isto, cedo ou tarde, uma vez que o dom foi concedido justamente para lhes promover o progresso espiritual: "Todas as faculdades são favores pelos quais a criatura deve render graças a Deus, visto que há homens que estão privados delas. [...] Se há pessoas indignas que a possuem, é que precisam dela mais do que as outras para se melhorarem. [...]"[261]

É por esse motivo que as mensagens mediúnicas sérias repetidamente põem em evidência as consequências morais dos atos humanos. Neste particular, os médiuns devem se manter atentos, pois a "[...] finalidade é esclarecê-los sobre o assunto frequentemente repetido ou corrigi-los de

---

[260] KARDEC, Allan. *O livro dos médiuns*. Segunda parte, cap. XX, it. 226, nº 1, p. 237, 2013.
[261] Id. Ibid., nº 2, p. 237.

certos defeitos. É por isso que a uns os Espíritos falarão incessantemente do orgulho; a outros, da caridade. [...]."[262] Importa considerar, todavia, que os Espíritos orientadores aconselham com muita educação e jamais interferem no livre-arbítrio das pessoas.

> Os Espíritos dão suas lições quase sempre com reserva, de modo indireto, para não tirarem o mérito daquele que sabe aproveitá-las e aplicá-las, mas o orgulho, a cegueira de certas pessoas é tão grande que elas não se reconhecem no quadro que os Espíritos lhes põem diante dos olhos. Pior ainda: se o Espírito lhes dá a entender que é delas que se trata, zangam-se e os qualificam de mentiroso ou malicioso. Basta isso para provar que o Espírito tem razão.[263]

Uma boa regra de conduta é o médium considerar que as orientações e conselhos transmitidos pelos bons Espíritos são dirigidos, em primeiro lugar, a si mesmo.

Ainda que o médium não apresente a desejável melhoria moral, ele deve se esforçar para adquiri-la porque, de uma forma ou de outra, faz parte do processo educativo de todo ser humano o desenvolvimento de virtudes. É possível, mesmo em situações adversas, que o médium possa transmitir mensagens de um Espírito superior. Isto pode acontecer em, pelo menos, três situações: a primeira, se não há no grupo um medianeiro que ofereça melhores condições de transmissão da mensagem; a segunda, porque o Espírito comunicante pode ter a intenção de conduzir o médium a uma reflexão sobre a própria conduta moral e o que fazer para corrigir-se; e a terceira, por surgir uma necessidade premente de auxílio ao grupo, no qual o médium atua.

Os benfeitores espirituais, contudo, procuram elucidar de forma impessoal, fazendo com que suas comunicações alcancem o grupo, que tenham uma abrangência ampla, não se restringindo à transmissão de conselhos relativos à conduta dos encarnados.

> "Não creiais que a faculdade mediúnica seja dada apenas para a correção de uma ou de duas pessoas. Não. O objetivo é mais alto: trata-se da humanidade inteira. Um médium é um instrumento que, como indivíduo, tem pouca importância. É por isso que, quando damos instruções de interesse geral, nós nos servimos dos médiuns que oferecem as facilidades necessárias. Tende, porém, como certo que tempo virá em que os bons médiuns serão muito comuns, de sorte que os Espíritos bons não precisarão servir-se de maus instrumentos"[264] (aspas no original).

---

262 KARDEC, Allan, O livro dos médiuns. Segunda parte, cap. XX, nº 4, p. 238.
263 Id. Ibid, it. Observação, p. 238.
264 Id. Ibid. It. 226, nº 5, p. 239, 2013.

O certo, porém, é que o médium exerce significativa influência moral nas mensagens mediúnicas por ele recebidas, daí o cuidado de serem analisadas, com lucidez e isenção de ânimo, antes de serem divulgadas. A seguinte mensagem de Emmanuel, retirada do livro *Seara dos médiuns*, destaca o egoísmo e o orgulho como graves obstáculos à prática mediúnica harmônica.

TRÊS ATITUDES[265]

Emmanuel

[...]

Entendendo-se que o egoísmo e o orgulho são qualidades negativas na personalidade mediúnica, obscurecendo a palavra da Esfera superior, e compreendendo-se que o bem é a condição inalienável para que a mensagem edificante seja transmitida sem mescla, examinemos essas três atitudes, em alguns dos quadros e circunstâncias da vida.

Na sociedade:

O egoísmo faz o que quer.

O orgulho faz como quer.

O bem faz quanto pode, acima das próprias obrigações.

No trabalho:

O egoísmo explora o que acha.

O orgulho oprime o que vê.

O bem produz incessantemente.

Na equipe:

O egoísmo atrai para si.

O orgulho pensa em si.

O bem serve a todos.

---

[265] XAVIER, Francisco Cândido. *Seara dos médiuns*. It. Três Atitudes, p. 53-54, 2013.

Na amizade:

O egoísmo utiliza as situações.

O orgulho clama por privilégios.

O bem renuncia ao bem próprio.

Na fé:

O egoísmo aparenta.

O orgulho reclama.

O bem ouve.

Na responsabilidade:

O egoísmo foge.

O orgulho tiraniza.

O bem colabora.

Na dor alheia:

O egoísmo esquece.

O orgulho condena.

O bem ampara.

No estudo:

O egoísmo finge que sabe.

O orgulho não busca saber.

O bem aprende sempre, para realizar o melhor.

*

Médiuns, a orientação da Doutrina Espírita é sempre clara. O egoísmo e o orgulho são dois corredores sombrios, inclinando-nos, em toda parte, ao vício e à delinquência, em angustiantes processos obsessivos, e só o bem é capaz de filtrar com lealdade a Inspiração divina, mas, para isso, é indispensável não apenas admirá-lo e divulgá-lo; acima de tudo, é preciso querê-lo e praticá-lo com todas as forças do coração.

ATIVIDADE PRÁTICA 6: EXERCÍCIO DE LIVRE MENTALIZAÇÃO

Objetivos do exercício
> Realizar exercício de irradiação mental.
> Prosseguir com o exercício de prece.

Sugestões ao monitor
1. Pedir a um dos participantes que se posicione perante a turma e realize uma irradiação mental, cujo tema é de sua livre escolha.
2. Solicitar aos demais que, em silêncio, acompanhem mentalmente a irradiação do colega.
3. Avaliar o exercício, após a sua conclusão, ouvindo uma ou outra opinião, inclusive a de quem realizou a mentalização.
4. Indicar outro participante para fazer a prece de encerramento da reunião.

REFERÊNCIAS

1   KARDEC, Allan. *O livro dos médiuns*. Trad. Evandro Noleto Bezerra. 2. ed. 1. imp. Brasília: FEB, 2013.
2   XAVIER, Francisco Cândido. *Seara dos médiuns*. Pelo Espírito Emmanuel. 20. ed. 1. imp. Brasília: FEB, 2013.

PROGRAMA I – MÓDULO II – TEMA 7

EDUCAÇÃO DA FACULDADE MEDIÚNICA

A educação da faculdade mediúnica requisita do médium esforço perseverante e deve ser exercida no ambiente seguro das casas espíritas, que funcionam como "[...] escolas de formação espiritual e moral, que trabalham à luz da Doutrina Espírita".[266] Neste contexto, a formação de bons médiuns espíritas conta não apenas com os imprescindíveis esforços do candidato à tarefa, mas com a segura orientação doutrinária e exemplos de moralidade cristã dos orientadores e dirigentes dos centros espíritas. Há também outro ponto, não menos importante: a educação ou desenvolvimento da faculdade mediúnica acontece ao longo da vida: começa antes da reencarnação, continua nela e prossegue no Além-túmulo. É trabalho de incessante aperfeiçoamento.

O desenvolvimento de qualquer faculdade humana não dispensa preparo e trabalho perseverantes. A educação da mediunidade, neste sentido, está relacionada a algumas condições, consideradas básicas: amparo espiritual; estudo doutrinário espírita; conduta moral e autoconhecimento; gratuidade da prática mediúnica.

1   AMPARO ESPIRITUAL

Quando da eclosão da mediunidade, é comum o médium ser assaltado por um clima psicológico de emoções contraditórias, variável em intensidade de acordo com a personalidade do médium, sua sensibilidade e conquistas morais e intelectuais. Às vezes, tais dificuldades podem ser somatizadas, produzindo desconfortos físicos plenamente superáveis, à medida que o médium adquire maiores esclarecimentos e controle de si mesmo. Sugere-se, então, que nessa fase, em especial, o médium receba assistência espiritual na Casa Espírita, caracterizada pelo diálogo fraterno, passe e água fluidificada

---

266 Federação Espírita Brasileira. *Orientação ao centro espírita*, it. Os Centros Espíritas, p.19.

(magnetizada); participação em alguma atividade de assistência e promoção social; frequência a palestras evangélico-doutrinárias; culto do Evangelho no Lar e hábito de oração.

Alcançado o reajuste espiritual, o médium é encaminhado ao estudo regular do Espiritismo, inscrevendo-se em cursos básicos ou específicos da mediunidade, conforme o nível de conhecimento espírita que ele possua. A propósito ressalta André Luiz: "Mediunidade não basta só por si. É imprescindível saber que tipo de onda mental assimilamos para conhecer da qualidade de nosso trabalho e ajuizar de nossa direção."[267]

Para que ocorra desenvolvimento harmônico da faculdade mediúnica, o médium conta com o auxílio de benfeitores espirituais e orientadores encarnados. Os primeiros são indicados pelo Espírito protetor do médium, também chamado de "[...] anjo da guarda ou bom gênio é o que tem por missão seguir o homem na vida e ajudá-lo a progredir. É sempre de natureza superior, com relação ao protegido."[268] A ação dos protetores espirituais junto ao protegido é sempre discreta, regulada para não tolher-lhe o livre-arbítrio. Em situações específicas, o Espírito protetor permite o auxílio de outros Espíritos, mais diretamente vinculados ao médium pelos laços de simpatia, a fim de lhe facilitar o processo de educação da faculdade mediúnica, uma vez que tais Espíritos demonstram para com o médium semelhança de gostos e de sentimentos, mas a "[...] duração de suas relações se acha quase sempre subordinada às circunstâncias."[269]

No âmbito do Centro Espírita, cabe aos coordenadores e monitores dos cursos regulares de Estudo e prática de Mediunidade e aos dirigentes de grupos mediúnicos a tarefa de orientar e auxiliar os médiuns. Contudo, a equipe de encarnados que colabora com a formação e educação do médium, dentro e fora do grupo mediúnico, deve cuidar-se para manter-se atenta aos propósitos e à natureza dessa tarefa espírita, a fim de obter bons frutos.

2 ESTUDO DOUTRINÁRIO ESPÍRITA

O estudo espírita se revela como uma necessidade que não deve ser adiada ou dificultada, pois proporciona ao médium o devido conhecimento doutrinário, orientando-o a respeito da natureza dos Espíritos que podem

---

267 XAVIER, Francisco Cândido. *Nos domínios da mediunidade*. Cap. 1, p. 19, 2013.
268 KARDEC, Allan. *O livro dos espíritos*. Q. 514-comentário, p. 245, 2013.
269 Id. Ibid. p. 246, 2013.

utilizar sua faculdade mediúnica e como manter com eles relações fraternas e respeitosas.

> O médium tem obrigação de estudar muito, observar intensamente e trabalhar em todos os instantes pela sua própria iluminação. Somente desse modo poderá habilitar-se para o desempenho da tarefa que lhe foi confiada, cooperando eficazmente com os Espíritos sinceros e devotados ao bem e à verdade."[270]

Assim, é importante que o médium só seja encaminhado ao grupo mediúnico, propriamente dito, depois de aprender, em estudo regular, como realizar intercâmbio com os Espíritos. Esta condição é adquirida nos cursos continuados de mediunidade que devem, necessariamente, aliar teoria e prática da mediunidade. Às vezes, surgem médiuns principiantes que apresentam harmonia e controle espirituais. Podem, portanto, serem encaminhados ao grupo mediúnico. Entretanto, mesmo nessas condições, ele não está dispensado da frequência, concomitante, às reuniões de estudos oferecidas pela Casa Espírita.

> O escolho com que se defronta a maioria dos médiuns principiantes é o de terem de lidar com Espíritos inferiores, e feliz do medianeiro quando se trata apenas de Espíritos levianos. Devem estar muito atentos para que tais Espíritos não assumam predomínio, porque, caso isso aconteça, nem sempre lhe será fácil desembaraçar-se deles. Este ponto é de tal modo importante, sobretudo no começo, que, não sendo tomadas as precauções necessárias, podem-se perder os frutos das mais belas faculdades.[271]

3 CONDUTA MORAL E AUTOCONHECIMENTO

O esclarecimento doutrinário associado ao esforço de melhoria moral permite ao médium elaborar diretrizes de autoconhecimento — necessárias à conscientização dos limites das próprias capacidades e conquistas — transformando-o, assim, em valioso instrumento de intercâmbio entre os dois planos da vida, como assevera Emmanuel: "Não há desenvolvimento mediúnico para realizações sólidas sem o aprimoramento da individualidade mediúnica."[272]

> Todas as imperfeições morais são outras tantas portas abertas ao acesso dos Espíritos maus. Porém, a que eles exploram com mais habilidade é o orgulho, porque é a que a criatura menos confessa a si mesma. O orgulho tem perdido muitos médiuns dotados das mais belas faculdades e que, se não fora essa

---

270 XAVIER, Francisco Cândido. *O consolador*. Q. 392, p. 254, 2013.
271 KARDEC, Allan. *O livro dos médiuns*. Segunda parte, cap. XVII. It. 211, p. 211, 2013.
272 XAVIER, Francisco Cândido. *Seara dos médiuns*. It. Formação Mediúnica, p. 142, 2013.

imperfeição, teriam podido tornar-se instrumentos notáveis e muito úteis, ao passo que, presas de Espíritos mentirosos, suas faculdades, depois de se haverem pervertido, aniquilaram-se, de sorte que diversos deles se viram humilhados pelas mais amargas decepções.[273]

O médium vigilante, mesmo no início da tarefa, procura conhecer as más inclinações que ainda possui, esforça-se no desenvolvimento de virtudes e identifica nas provações oportunidade de reajuste espiritual, sem perder de vista as artimanhas e os assaltos dos Espíritos evolutivamente retardatários: "Cada instrumento medianímico, tanto quanto cada pessoa terrestre, carrega consigo determinadas provas e problemas determinados. A mediunidade é ensejo de serviço e aprimoramento, resgate e solução."[274]

> [...] Convencidos de que a existência terrestre é uma prova passageira, tratam de aproveitar os seus breves instantes para avançar pela senda do progresso, única que os pode elevar na hierarquia do mundo dos Espíritos, esforçando-se por fazer o bem e reprimir seus maus pendores. Suas relações são sempre seguras, porque a convicção que nutrem os afasta de todo pensamento do mal. A caridade é, em tudo, a sua regra de conduta. São *os verdadeiros espíritas*, ou melhor, os *espíritas cristãos* (grifo no original).[275]

4 GRATUIDADE DA PRÁTICA MEDIÚNICA

A prática mediúnica não deve ser profissionalizada: "A mediunidade é uma coisa santa, que deve ser praticada santamente, religiosamente. [...] Aquele, pois, que não tem do que viver, procure recursos em qualquer parte, menos na mediunidade [...]."[276]

> [...] A mediunidade séria não pode ser e jamais será uma profissão, não só porque se desacreditaria moralmente, sendo logo identificada com os ledores da boa sorte, como também porque um obstáculo material a isso se opõe. É que se trata de uma faculdade essencialmente móvel, fugidia e variável, com cuja perenidade ninguém pode contar. Seria, pois, para o explorador uma fonte absolutamente incerta de receitas, que pode lhe faltar no momento em que mais precise dela. [...] A mediunidade, porém, não é uma arte, nem um talento, razão pela qual não pode tornar-se uma profissão. Ela não existe sem o concurso dos Espíritos; faltando estes, já não há mediunidade. A aptidão pode subsistir, mas o seu exercício se anula.

---

273 KARDEC, Allan. *O livro dos médiuns*. Segunda parte., cap. XX. It. 228, p. 241, 2013.
274 XAVIER, Francisco Cândido. *Seara dos médiuns*. It.: Mediunidade e imperfeição, p. 144, 2013.
275 KARDEC, Allan. Op. Cit. Primeira parte, cap. III. It. 28/3º, p. 35-36, 2013.
276 Id. Ibid. Cap. XXVI, it. 10, p. 311, 2013.

[...] Portanto, explorar a mediunidade é dispor de uma coisa da qual não se é realmente dono.[277]

A prática mediúnica, usual na casa espírita é considerada como um instrumento de aperfeiçoamento espiritual disponibilizada por Deus que, neste aspecto, pode configurar uma *provação, expiação* ou *missão*, de acordo com as necessidades evolutivas do Espírito reencarnado.

A *mediunidade provacional*, também denominada mediunidade-tarefa, tem como objetivo reparar equívocos cometidos em existências pretéritas. Reveste-se de provas ou tribulações escolhidas pelo Espírito, antes da sua reencarnação, assim explicadas pelos orientadores da Codificação: "[...] Escolhestes apenas o gênero das provações; os detalhes são consequência da posição em que vos achais e, muitas vezes, das vossas próprias ações."[278] A *expiação*, por outro lado, refere-se à necessidade de cumprir ou expiar uma pena, decorrente de grave violação à Lei de Deus. Na *mediunidade de expiação* os médiuns são atormentados por Espíritos perturbados e perturbadores. A expiação, nesta situação, alega Emmanuel, "[...] alinha os quadros de enfermidade e infortúnio que começam do berço e a evolução desdobra realizações e esperanças que se entremostram na meninice."[279] Todavia, alerta Allan Kardec: "[...] sabemos que *a duração da expiação está subordinada ao melhoramento do culpado*"[280] (grifo no original).

A *mediunidade de missão ou missionária* é conquista do médium, que durante a reencarnação se compromete em promover e fazer o bem: renasce com o compromisso de "[...] instruir os homens, em ajudá-los a progredir, em melhorar suas instituições, por meios diretos e materiais. [...] O Espírito se depura pela encarnação, concorrendo, ao mesmo tempo, para a execução dos desígnios da Providência [...]."[281]

---

277 KARDEC, Allan. *O livro dos médiuns*. Cap. XXVI, it. 9, p. 310, 2013.
278 Id. *O livro dos espíritos*. Q. 259, p. 233, 2013.
279 XAVIER, Francisco Cândido. *Nascer e renascer*. It. Expiação e Evolução, p. 45, 1999.
280 KARDEC, Allan. *O céu e o inferno*. Primeira parte, cap. V, it. 7, p. 66, 2013.
281 Id. *O livro dos espíritos*. Q. 573, p. 265, 2013.

ATIVIDADE PRÁTICA 7: IRRADIAÇÃO MENTAL E IDEOPLASTIAS

Objetivos do exercício

> Realizar exercício individual e silencioso de irradiação mental.

> Prosseguir com o exercício de prece.

Sugestões ao monitor

1. Prestar breves esclarecimentos a respeito do poder do pensamento de criar ideoplastias, positivas e negativas. (Veja as explicações relacionadas a seguir).

2. Pedir aos participantes que realizem, individual e silenciosamente, uma irradiação associada a ideoplastias mentais, envolvendo uma pessoa, encarnada ou desencarnada, uma instituição, cidade etc., em vibrações e imagens harmoniosas. Pode, por exemplo, imaginar que está transmitindo um passe a um doente, cercando-o de energias magnético-espirituais.

3. Esclarecer que a irradiação não deve ultrapassar o tempo máximo de cinco minutos.

4. Fazer avaliação do exercício, ouvindo comentários aleatórios.

5. Encerrar a reunião com prece ou pedir a um dos integrantes da reunião para fazê-la.

O PODER PLÁSTICO DA MENTE

Allan Kardec assinala que como "[...] o pensamento do Espírito cria fluidicamente os objetos que ele estava habituado a usar [...]",[282] pode criar imagens fluídicas, de forma que "[...] o pensamento se reflete no envoltório perispirítico, como num espelho; toma nele corpo e aí de certo modo se fotografa. [...]"[283] (grifo no original).

As criações fluídicas são denominadas pelo Espírito André Luiz de ideoplastias pelas quais: "[...] o pensamento pode materializar-se, criando formas que muitas vezes se revestem de longa duração, conforme a persistência da onda em que se expressam."[284] Em outra oportunidade, André Luiz destaca, ao observar a ação da criação ideoplástica: "[...] as forças associadas dos médiuns presentes caracterizar-se-iam por extremo poder plástico e que uma simples ideia nossa, incompatível com a dignidade do recinto, poderia materializar-se, criando imagens impróprias [...]."[285]

---

282 KARDEC, Allan. *A gênese*. Cap. XIV, it. 14, p. 241, 2013.
283 Id. Ibid., it. 15, p. 241.
284 XAVIER, Francisco Cândido; VIEIRA, Waldo. *Mecanismos da mediunidade*. Cap. 19, it. Ideoplastia, p. 119, 2013.
285 XAVIER, Francisco Cândido. *Ação e reação*. Cap. 6, p. 79, 2013.

REFERÊNCIAS

1. KARDEC, Allan. *A gênese.* Trad. Evandro Noleto Bezerra. 2. ed. 1. imp. Brasília: FEB, 2013.
2. _____. *O céu e o inferno.* Trad. Evandro Noleto Bezerra. 2. ed. 1. imp. Brasília: FEB, 2013.
3. _____. *O evangelho segundo o espiritismo.* Trad. Evandro Noleto Bezerra. 2. ed. 1. imp. Brasília: FEB, 2013.
4. _____. *O livro dos espíritos* Trad. Evandro Noleto Bezerra. 4. ed.1. imp. Brasília:FEB, 2013.
5. _____. *O livro dos médiuns.* Trad. Evandro Noleto Bezerra. 2. ed. 1. imp. Brasília: FEB, 2013.
6. FEDERAÇÃO ESPÍRITA BRASILEIRA. *Orientação ao centro espírita.* 1. ed. Rio de Janeiro, FEB, 2007.
7. XAVIER, Francisco Cândido; VIEIRA, Waldo. *Mecanismos da mediunidade.* Pelo Espírito André Luiz. 28. ed. 1. reimp. Brasília: FEB, 2013.
8. XAVIER, Francisco Cândido. *Ação e reação.* Pelo Espírito André Luiz. 30. ed. 2. imp, Brasília: FEB, 2013.
9. _____. *Nascer e renascer.* Pelo Espírito Emmanuel. 8. ed. São Bernardo do Campo: GEEM, 1999.
10. _____. *Nos domínios da mediunidade.* Pelo Espírito André Luiz. 34. ed. 4. reimp., Rio de Janeiro: FEB, 2011.
11. _____. *O consolador.* Pelo Espírito Emmanuel. 29. ed.1. imp. Brasília: FEB, 2013.
12. _____. *Seara dos médiuns.* Pelo Espírito Emmanuel. 20. ed. 1 reimp. Brasília. FEB, 2013.

PROGRAMA I – MÓDULO II

ATIVIDADE COMPLEMENTAR DO MÓDULO

Seminário: Médiuns obsidiados

Esta atividade complementar e optativa faz o fechamento dos assuntos estudados nos módulos I e II, cuja proposta é transmitir esclarecimentos sobre as bases espíritas da mediunidade e, ao mesmo tempo, orientar como realizar intercâmbio mediúnico harmônico e produtivo com Espíritos desencarnados.

O tema do seminário, *Médiuns Obsidiados*, tem dupla finalidade: a primeira é conduzir à reflexão de que, pelo esforço de melhoria moral ou de desenvolvimento de virtudes, é possível prevenir, neutralizar obsessões. A segunda finalidade é destacar a importância do conhecimento doutrinário espírita a fim de que a pessoa aprenda não só lidar com influências espirituais inferiores, mas que também saiba como estabelecer relações fraternas e sérias com os bons Espíritos e com os demais habitantes do plano espiritual.

Esse seminário não está indicado apenas para os estudantes do curso *Mediunidade: Estudo e prática*. Os demais espíritas, jovens e adultos, inscritos em diferentes cursos e os trabalhadores da Casa Espírita, podem (e devem) participar, uma vez que o assunto é de interesse geral.

SUGESTÃO DE REFERÊNCIA BIBLIOGRÁFICA

KARDEC, Allan. *O livro dos médiuns*. Cap. 19, 20, 23 e 24. FEB.

XAVIER, Francisco Cândido. *Seara dos médiuns*. Pelo Espírito Emmanuel. FEB. It. *Obsessão e Jesus; Eles também; Obsessores; Mediunidade e alienação mental; Irmãos problemas; Espíritos perturbados; Livre-arbítrio e obsessão; Obsessão e o Evangelho; Obsessão e cura; Médiuns transviados.*

MEDIUNIDADE: ESTUDO E PRÁTICA

MÓDULO III
Mediunidade. Obsessão. Desobsessão

Mediunidade: Estudo e prática – Programa 1
PLANO GERAL DO MÓDULO III
Mediunidade. Obsessão. Desobsessão

TEMAS TEÓRICOS	ATIVIDADES PRÁTICAS (Harmonização psíquica)
1. Ação dos espíritos no plano físico. (p. 171)	1. Como trabalhar a harmonização psíquica. (p. 177)
2. Obsessão: causas, graus e tipos. (p. 181)	2. Exercício de autoconhecimento: *Quem sou eu?* (p. 187)
3. O obsessor e o obsidiado. (p. 189)	3. O autoconhecimento segundo Santo Agostinho. (p. 193)
4. O processo obsessivo. (p. 197)	4. Roteiro para o autoconhecimento. (p. 202)
5. Desobsessão: recursos espíritas. (p. 205)	5. Harmonização psíquica e irradiação mental. (p. 213)
6. A prática da caridade como ação desobsessiva. (p. 215)	6. Sinta a minha dificuldade! (p. 220)

ATIVIDADE COMPLEMENTAR DO MÓDULO (OPTATIVA):

1. Seminário: *Mediunidade e obsessão em crianças.* (p. 223)

PROGRAMA I – MÓDULO III – TEMA 1

AÇÃO DOS ESPÍRITOS NO PLANO FÍSICO

Allan Kardec no capítulo IX da segunda parte de *O livro dos espíritos* dedica cento e duas questões, da 456 à 557, ao estudo da "Intervenção dos Espíritos no Mundo Corpóreo". Neste capítulo, o Codificador analisa a ação dos Espíritos no plano físico, que pode ocorrer de forma sutil, pela influência mental, ou claramente percebida nas diferentes manifestações mediúnicas, de efeitos físicos e intelectuais. A interferência dos desencarnados no plano físico pode, ainda, ser boa ou má, fugaz ou duradoura. Os Espíritos exercem também ação nos fenômenos da natureza.

1 INFLUÊNCIA MENTAL

É comum supor-se que a ação dos Espíritos só ocorre por meio de fenômenos extraordinários. Isto pode acontecer, mas é raro, ao contrário do que acontece no dia a dia.

> [...] Assim é que, provocando, por exemplo, o encontro de duas pessoas, que julgarão encontrar-se por acaso; inspirando a alguém a ideia de passar por determinado lugar; chamando-lhe a atenção para certo ponto, se disso resulta o que tenham em vista, eles atuam de tal modo que o homem, acreditando seguir apenas o próprio impulso, conserva sempre o seu livre-arbítrio.[286]

Os desencarnados, desde que lhes interesse, aproximam-se dos indivíduos e, se as condições lhes forem favoráveis, estabelecem uma comunhão mental que permite conhecer desejos, emoções, pensamentos e ações de quem pretende influenciar. É o que afirmam as entidades que coordenaram a Codificação:

> 457. Os Espíritos podem conhecer os nossos mais secretos pensamentos?
>
> Muitas vezes conhecem aquilo que desejaríeis ocultar de vós mesmos. Nem atos, nem pensamentos lhes podem ser dissimulados.[287]

---

286 KARDEC, Allan. *O livro dos espíritos*. Q. 525-a-comentário, p. 249, 2013.
287 Id. Ibid. Q. 457, p. 229.

O interesse dos Espíritos nasce da afinidade estabelecida com o encarnado pelos processos de sintonia mental, como ensina Emmanuel: "[...] é no mundo mental que se processa a gênese de todos os trabalhos da comunhão de espírito a espírito."[288] Precede a sintonia entre duas mentes a afinidade intelectual ou moral, ou ambas, pois "o homem permanece envolto em largo oceano de pensamentos, nutrindo-se de substância mental, em grande proporção. Toda criatura absorve, sem perceber, a influência alheia nos recursos imponderáveis que lhe equilibram a existência."[289]

Se elevados, os bons Espíritos estimularão o indivíduo para o bem; se atrasados, insuflarão sentimentos inferiores que podem conduzir a processos obsessivos, às vezes de grande complexidade. Em suma, acrescenta o benfeitor espiritual:

> A mente, em qualquer plano, emite e recebe, dá e recolhe, renovando-se constantemente para o alto destino que lhe compete atingir. Estamos assimilando correntes mentais, de maneira permanente. De modo imperceptível, "ingerimos pensamentos", a cada instante, projetando, em torno de nossa individualidade, as forças que acalentamos em nós mesmos. [...] Somos afetados pelas vibrações de paisagens, pessoas e coisas que nos cercam. Se nos confiamos às impressões alheias de enfermidade e amargura, apressadamente se nos altera o "tônus mental", inclinando-nos à franca receptividade de moléstias indefiníveis. Se nos devotamos ao convívio com pessoas operosas e dinâmicas, encontramos valioso sustentáculo aos nossos propósitos de trabalho e realização. [...][290]

A partir da percepção dos pensamentos dos encarnados, os Espíritos sugerem ideias, que, se acatadas, podem alterar-lhes o curso da existência. É a sintonia mental, que se intensifica enquanto perdura. Como consta de *O livro dos espíritos*:

> *Os Espíritos influem em nossos pensamentos e em nossos atos?* (grifo no original).
>
> "Muito mais do que imaginais, pois frequentemente são eles que vos dirigem"[291] (aspas no original).

Em que pese os Espíritos diuturnamente inspirarem ideias, o indivíduo é livre para aceitá-las ou não. Como na maioria das vezes as ideias transmitidas vão ao encontro das do encarnado, este as acolhe com naturalidade, sem crítica ou oposição. Esta possibilidade, de contínua comunicação telepática

---

288 XAVIER, Francisco Cândido. *Roteiro*. Cap. 28, p. 117.
289 Id. Ibid. Cap. 26, p. 109.
290 Id. Ibid. Cap. 28, p. 110, 2012.
291 KARDEC, Allan. *O livro dos espíritos*. Q. 459, p. 230, 2013.

entre encarnados e desencarnados decorre da mediunidade latente e comum a todas as pessoas.

> [...] São essas comunicações de cada homem com o seu Espírito familiar que fazem sejam médiuns todos os homens, médiuns ignorados hoje, mas que se manifestarão mais tarde e se espalharão qual oceano sem limites, para rechaçar a incredulidade e a ignorância. [...][292]

Yvonne A. Pereira, na obra *Devassando o invisível*, desenvolve importante estudo sobre a mediunidade e as ações dos Espíritos no plano físico. Dentre outros, a notável missionária relata que médiuns dedicados são conduzidos por seus amigos espirituais a elevadas regiões do mundo espiritual e são preparados para tarefas que deverão realizar. Ao acordarem, sem se lembrarem claramente do ocorrido, agem sob benéfica "sugestão hipnótica", sendo que as instruções positivas recebidas lhes retornam à consciência, sob forma de intuição, por exemplo, no momento da oratória, da redação de textos elevados ou na tomada de decisões que beneficiarão a muitos.

Às vezes, tais lembranças podem eclodir dias após o contato do médium com seu anjo guardião ou mentor, ou outro benfeitor espiritual. No entanto, se o médium não se eleva no trabalho do bem ou se nega, ou mesmo desconhece sua faculdade, pode emergir-lhe pensamentos e comportamentos desequilibrados, alimentados por entidades obsessoras, que lhe submeteu à hipnose negativa.

> Existem obsessões produzidas pela *hipnose*, durante o sono natural. O médium, ignorante das próprias faculdades, e que, no caso, em geral não será espírita, deixa-se dominar por um inimigo invisível, durante o sono. Afina-se com o caráter deste e recebe suas ordens ou sugestões, tal como o sonâmbulo às ordens de seu magnetizador. Ao despertar, reproduz, mais tarde, em ações de sua vida prática, as ordenações então recebidas, as quais poderão levá-lo até mesmo ao crime e ao suicídio[293] (grifo no original).

Yvonne alerta quanto ao valor da oração e da vigilância, em especial antes do sono corporal, que protegerá o médium de assédios perturbadores.

Como a morte não encerra a existência do ser, após os momentos que se sucedem à desencarnação, e a natural perturbação do período pós-desencarnatório ser superada, o Espírito retoma à sua antiga personalidade, voltando a atenção para temas que lhe foram objeto de interesse e

---

292 KARDEC, Allan. *O livro dos espíritos*. Q. 495, p. 240-241.
293 PEREIRA, Yvonne do Amaral. *Devassando o invisível*. Cap. VIII, it. 3, p. 163, 2013.

de preocupação. Buscará os ambientes de sua predileção e as companhias que compartilham seus gostos.

Os Espíritos que já compreendem o valor do progresso, do perdão, do trabalho, da caridade seguirão na ascese que os conduzirá a planos elevados da vida. Os que mantiverem o foco nos desejos materiais, na vingança, no egoísmo, no apego, no ciúme, no vício encontram acolhida junto a encarnados da mesma tendência, passando ambos, a alimentarem-se de fluidos deletérios, corruptores dos sentidos. Assim, devemos estar atentos à influência espiritual negativa, que pode conduzir inúmeras pessoas às quedas morais quando, invigilantemente, se deixarem guiar por pensamentos perniciosos.

2 FENÔMENOS MEDIÚNICOS

A atuação dos Espíritos no plano material não se limita às interferências psíquicas. Pode ser tangível, como nos fenômenos mediúnicos de efeitos físicos (aparições, transporte de objetos, materializações, curas espirituais, etc.) e nos de efeitos intelectuais, entre outros, psicofonia, psicografia, vidência, pinturas mediúnicas.

Em *O livro dos médiuns*, o Codificador analisa a ação dos Espíritos no plano material, afirmando que o perispírito exerce papel fundamental na ocorrência dos fenômenos mediúnicos:

> [...] O Espírito precisa, pois, de matéria, para atuar sobre a matéria. Tem por instrumento direto de sua ação o perispírito, como o homem tem o corpo. Ora, o perispírito é matéria [...]. Depois, serve-lhe também de agente intermediário o fluido universal, espécie de veículo sobre o qual ele atua, como nós atuamos sobre o ar para obter determinados efeitos, por meio da dilatação, da compressão, da propulsão, ou das vibrações. Considerada dessa maneira, facilmente se concebe a ação do Espírito sobre a matéria.[294]

Os movimentos e suspensão de objetos, os ruídos, e outros fenômenos mediúnicos de natureza física, ocorrem pela ação dos Espíritos que combinam, segundo a vontade deles, o fluido universal com o fluido que é liberado pelo médium. Esta manipulação se dá pela ação do pensamento, que dá impulso ou modifica a natureza dos fluidos. Os Espíritos que se dedicam à produção dos fenômenos mencionados são sempre de ordem inferior, ainda sujeitos à influência da matéria, segundo *O livro dos médiuns*.[295] Os Espíritos superiores não se ocupam desse tipo de evento, mas,

---

[294] KARDEC, Allan, *O livro dos médiuns*. Segunda parte, cap. I, it. 58, p. 65, 2013.
[295] Id. Ibid. It. 74, Q. 11, p. 77.

se for necessário atuarem diretamente sobre a matéria, se utilizarão daqueles Espíritos aptos a tal atividade, que colaborarão de bom grado.

Quanto aos fenômenos de efeitos intelectuais, afirma Allan Kardec: "Para uma manifestação ser inteligente, não é preciso que seja eloquente, espirituosa ou sábia. Basta que prove ser um ato livre e voluntário, exprimindo uma intenção ou correspondendo a um pensamento."[296] As manifestações mediúnicas inteligentes apresentam enorme variedade de tipos e subtipos, estudados em *O livro dos médiuns*, na segunda parte, capítulo III e VI, e capítulos X ao XVII, especificamente. A ocorrência de tais manifestações exige um certo grau de elaboração mental e o médium funciona como um intérprete, esclarecem os Espíritos orientadores.

> O Espírito do médium é o intérprete, porque está ligado ao corpo que serve para falar e por ser necessária uma cadeia entre vós e os Espíritos que se comunicam, como é preciso um fio elétrico para transmitir uma notícia a grande distância, desde que haja, na extremidade do fio, uma pessoa inteligente que a receba e transmita.[297]

3 FENÔMENOS DA NATUREZA

A ação dos Espíritos no plano físico se estende além da mediunidade. Consta em *O livro dos espíritos*[298] que, cumprindo os desígnios de Deus, incontáveis entidades esclarecidas se associam a Espíritos de diferentes graus evolutivos para garantirem a harmonia e o equilíbrio das forças que regem o Planeta. Percebem-se, então, que os eventos geológicos catalogados como naturais — ou seja, não provocados pela ação lesiva do homem — são acompanhados de perto por Espíritos benfeitores, a fim de que as transformações intrínsecas e reações dos elementos materiais da natureza não coloquem em risco a vida planetária.

André Luiz registra elucidativo comentário do orientador espiritual Aniceto, no livro *Os mensageiros*, a propósito da ação dos Espíritos na natureza:

> — O reino vegetal possui cooperadores numerosos. Vocês, possivelmente, ignoram que muitos irmãos se preparam para o mérito de nova encarnação no mundo, prestando serviço aos reinos inferiores. O trabalho com o Senhor é uma escola viva, em toda parte.[299]

---

296 KARDEC, Allan, *O livro dos médiuns*. Segunda parte, cap. III, it. 66, p. 71, 2013.
297 Id. Ibid. Cap. XIX, it. 223, Q. 6, p. 226-227.
298 Nota da organizadora: Sugerimos leitura das questões 536 a 540.
299 XAVIER, Francisco Cândido. *Os mensageiros*. Cap. 41, p. 256, 2013.

Considerada a natureza como fonte primária da vida, ela deve merecer toda atenção, respeito e preservação. Não se deve inferir, contudo, que a ação dos Espíritos na natureza esteja relacionada aos conceitos da mitologia que pregavam a existência de "deuses" encarregados das chuvas, dos ventos, da colheita, etc., ou que tais Espíritos constituam uma categoria à parte na obra da Criação. Na verdade, são Espíritos que, comprometidos com este gênero de atividade humana, já renasceram anteriormente e voltarão, por certo, a reencarnar na Terra, em missão ou em trabalho corriqueiro.

Verifica-se, dessa forma, que a participação dos Espíritos no plano material é efetiva e preponderante tendo em vista o progresso do homem. Todavia, a ação espiritual está, necessariamente, vinculada aos processos de sintonia estabelecidos entre desencarnados e encarnados. Cabe, pois, a cada um observar e escolher o tipo de companhia espiritual que deseja. Os bons Espíritos se fazem presentes na vida cotidiana, embora nem sempre os encarnados lhes acolham as sugestões elevadas. Segundo o Codificador, seria esse o motivo da maioria das ocorrências infelizes que o ser humano sofre.

ATIVIDADE PRÁTICA 1: COMO TRABALHAR A HARMONIZAÇÃO PSÍQUICA

Objetivo do exercício

> Identificar na harmonização psíquica um dos meios para a aquisição do equilíbrio espiritual.

Sugestões ao monitor

1. Realizar breve exposição que trate do conceito espírita de harmonização psíquica, suas finalidades e condições para obtê-la. (Veja texto a seguir)
2. Em seguida, realizar o exercício de harmonização. (Anexo)
3. Avaliar a execução do exercício, ouvindo comentários espontaneamente fornecidos pelos participantes.
4. Pedir a um integrante do grupo que profira a prece de encerramento da reunião.

HARMONIZAÇÃO PSÍQUICA

O Espiritismo entende que a harmonização psíquica é um estado de equilíbrio espiritual almejado pelo ser humano, como determina a lei de progresso. Exige de quem deseja conquistá-la: paciência, perseverança e vontade firme, cotidianamente exercitadas.

Há, basicamente, dois meios para obter harmonia espiritual: o autoconhecimento e a transformação moral. Pelo primeiro o indivíduo adquire conhecimentos necessários para entender a sua origem e destinação como ser imortal, criado por Deus para ser feliz.

Pelo segundo, a pessoa aprende a avaliar a natureza das próprias ideias e da sua forma de pensar, refletindo a respeito de suas ações e as consequências daí decorrentes. Compreende, então, a necessidade de estabelecer limites de conduta, para consigo mesma e para com o próximo. Ao mesmo tempo, trabalha com afinco para ampliar seus horizontes intelectuais e morais.

O autoconhecimento conduz, naturalmente, à necessidade de transformação moral, como condição de felicidade. Mas, para que a reforma moral aconteça é preciso identificar, de um lado, as más tendências, as paixões inferiores ou os vícios que ainda possui e, de outro, as virtudes já conquistadas. O passo seguinte é procurar combater tudo o que é considerado inferioridade espiritual e, com o mesmo empenho, desenvolver virtudes.

ANEXO: EXERCÍCIO DE HARMONIZAÇÃO PSÍQUICA

Condições de realização:

A atividade pode ser realizada individualmente ou em pequenos grupos.

O participante ou grupo anota no quadro abaixo o que lhe é solicitado, com base no texto 1 (Harmonização Psíquica) e na breve exposição do monitor.

Relatores são indicados para apresentar, em plenária, a conclusão do trabalho em grupo.

O monitor promove uma troca de ideias em torno das conclusões apresentadas, dando ênfase às ideias apresentadas.

O QUE FAZER PARA OBTER HARMONIA ESPIRITUAL		
Consigo mesmo (a)		
Na vida em família		
Com o cônjuge/ namorado(a)		
Com o próximo		

REFERÊNCIAS

1. KARDEC, Allan. *O livro dos espíritos*. Trad. Evandro Noleto Bezerra. 4. ed. 1. imp. Brasília: FEB, 2013.
2. _____. *O livro dos médiuns*. Trad. Evandro Noleto Bezerra. 2. ed. 1. imp. Brasília: FEB, 2013.
3. PEREIRA, Yvonne do Amaral. *Devassando o invisível*. 15. ed. 1. imp. Brasília: FEB, 2013.
4. XAVIER, Francisco Cândido. *Os mensageiros*. Pelo Espírito André Luiz. 47. ed. 1. imp. Brasília: FEB, 2013.
5. _____. *Roteiro*. Pelo Espírito Emmanuel. 14. ed. 1. imp. Brasília: FEB, 2012.

PROGRAMA I – MÓDULO III – TEMA 2

OBSESSÃO: CAUSAS, GRAUS E TIPOS

A obsessão, na visão espírita, é enfermidade psíquica. Caracteriza-se pela subordinação de uma mente que assimila sugestões de outra, capazes de retirar-lhe a razão e a vontade. É "[...] o domínio que alguns Espíritos exercem sobre certas pessoas. É praticada unicamente pelos Espíritos inferiores, que procuram dominar, pois os Espíritos bons não impõem nenhum constrangimento. [...]"[300]

Em *O evangelho segundo o espiritismo*, Allan Kardec define obsessão como uma influência contínua, sem tréguas, ou seja, "[...] ação persistente que um mau Espírito exerce sobre um indivíduo [...]".[301] Na mesma obra, o codificador deixa evidente que a obsessão consiste numa perturbação do relacionamento interpessoal, ao afirmar que ela "[...] exprime quase sempre a vingança exercida por um Espírito e que com frequência tem sua origem nas relações que o obsidiado manteve com ele [obsessor] em precedente existência".[302]

> As causas da obsessão variam de acordo com o caráter do Espírito. Às vezes é uma vingança que ele exerce sobre a pessoa que o magoou nesta vida ou em existências anteriores. Muitas vezes, é o simples desejo de fazer o mal: como o Espírito sofre, quer fazer que os outros também sofram; encontra uma espécie de prazer em atormentá-los, em humilhá-los, e a impaciência que a vítima demonstra o exacerba mais ainda, porque é esse o objetivo que o obsessor tem em vista, enquanto a paciência acaba por cansá-lo. [...] Esses Espíritos agem, não raras vezes, por ódio e por inveja do bem, o que os leva a lançarem suas vistas malfazejas sobre as pessoas mais honestas [...].[303]

---

300 KARDEC, Alan. *O livro dos médiuns*. Segunda parte, cap. XXIII, it. 237, p. 259, 2013.
301 Id. *O evangelho segundo o espiritismo*. Cap. XXVIII, it. 81, p. 369, 2013.
302 Id. Ibid., p. 370.
303 Id. *O livro dos médiuns*. Segunda parte, cap. XXIII, it. 245, p. 265, 2013.

Dessa forma, tomando por base relacionamentos que se degeneram no tempo e no espaço, e como estes variam ao infinito, a obsessão se tipifica e gradua conforme o nível de comprometimento dos envolvidos.

1 GRAUS DA OBSESSÃO

As obsessões se graduam conforme a intensidade do domínio exercido pelo obsessor sobre a psiquê do obsidiado. O Codificador afirma que a obsessão pode variar de uma simples importunação, sem agravantes, até o domínio completo da mente do enfermo, com sensíveis consequências físicas e psíquicas:

> [...] Apresenta características muito diversas, desde a simples influência moral, sem sinais exteriores perceptíveis, até a perturbação completa do organismo e das faculdades mentais. Oblitera todas as faculdades mediúnicas. [...] [304]

Seguindo essa linha de ideias, temos em *O livro dos médiuns*:

> A obsessão apresenta características diversas, que é preciso distinguir e que resultam do grau de constrangimento e da natureza dos efeitos que produz. A palavra *obsessão* é, de certo modo, um termo genérico, pelo qual se designa esta espécie de fenômeno, cujas principais variedades são: a *obsessão simples*, a *fascinação* e a *subjugação*[305] (grifo no original).

1.1 Obsessão simples

Presença constante e inoportuna de um Espírito que insiste em influenciar negativamente, pelo pensamento, o indivíduo. Mais conhecida como influência espiritual, no início da obsessão simples a ação da entidade desencarnada ocorre de forma episódica, inoportuna e desagradável, produzindo mal estar generalizado e inquietações ao obsidiado. Com o passar do tempo, o obsessor age de forma persistente, envolvendo o encarnado em seus fluidos negativos.

Em se tratando do médium ostensivo, alerta *O livro dos médiuns*:

> Na obsessão simples, o médium sabe muito bem que está lidando com um Espírito mentiroso e este não se disfarça, nem dissimula de forma alguma suas más intenções e seu propósito de contrariar. O médium reconhece a fraude sem dificuldade e, como se mantém vigilante, raramente é enganado. Este gênero de obsessão é, portanto, apenas desagradável e só tem o inconveniente

---
304 KARDEC, Allan. *O evangelho segundo o espiritismo*. Cap. XXVIII, it. 81, p. 369, 2013.
305 Id. *O livro dos médiuns*. Segunda parte, cap. XXIII, it. 237, p. 259, 2013.

de dificultar as comunicações que se deseja receber de Espíritos sérios ou daqueles que nos são afeiçoados.[306]

1.2 Fascinação

O indivíduo não acredita que esteja obsidiado. Pauta seu comportamento sem consciência do ridículo do que fala e do que faz. A fascinação é bem mais grave que a obsessão simples. Na prática mediúnica caracteriza-se pela falta de percepção do médium da real identidade e intenções do comunicante, assim como da qualidade das mensagens recebidas:

> A *fascinação* tem consequências muito mais graves. É uma ilusão produzida pela ação direta do Espírito sobre o pensamento do médium e que de certa forma paralisa a sua capacidade de julgar as comunicações. O médium fascinado não acredita que esteja sendo enganando; o Espírito tem a arte de lhe inspirar confiança cega, que o impede de ver o embuste e de compreender o absurdo do que escreve, ainda quando esse absurdo salte aos olhos de todo mundo [...][307] (grifo no original).

O obsessor age sobre a mente do fascinado projetando imagens e pensamentos envolventes, hipnotizantes, alimentadores de ideias fixas.

> [...] Para chegar a tais fins, é preciso que o Espírito seja muito esperto, astucioso e profundamente hipócrita, porque só pode enganar e se impor à vítima por meio da máscara que toma e de uma falsa aparência de virtude. [...] Por isso mesmo, o que o fascinador mais teme são as pessoas que veem as coisas com clareza, de modo que a tática deles, quase sempre, consiste em inspirar ao seu intérprete o afastamento de quem quer que lhe possa abrir os olhos. [...][308]

1.3 Subjugação

É o profundo domínio mental de um obsessor, que paralisa a vontade do obsidiado. Tem resultados graves, pois a entidade assume os pensamentos do obsidiado, e passa a agir por ele através de intenso comando mental, mas sem lhe retirar completamente a lucidez, o que se constitui num grande sofrimento moral e físico:

> A *subjugação* é uma opressão que paralisa a vontade daquele que a sofre e o faz agir contra a sua vontade. Numa palavra, o paciente fica sob um verdadeiro *jugo*.

---
306 KARDEC, Allan. *O livro dos médiuns*. Segunda parte, cap. XXIII, it. 238, p. 260, 2013.
307 Id. Ibid. Segunda parte, cap. XXIII, it. 239, p. 260.
308 Id. Ibid. p. 261, 2013.

A *subjugação* pode ser *moral* ou *corpórea*. No primeiro caso, o subjugado é constrangido a tomar decisões muitas vezes absurdas e comprometedoras que, por uma espécie de ilusão, ele julga sensatas: é uma espécie de fascinação. No segundo caso, o Espírito atua sobre os órgãos materiais e provoca movimentos involuntários [...][309] (grifo no original).

André Luiz, pela psicografia de Francisco Cândido Xavier, dá uma importante contribuição ao tema, ao identificar e definir um tipo de obsessão que, se não formar uma classe à parte, está inserida nas referidas anteriormente, constituindo-se num agravamento do quadro mental do enfermo: o vampirismo. Diz o escritor espiritual:

> — Sem nos referirmos aos morcegos sugadores, o vampiro, entre os homens, é o fantasma dos mortos, que se retira do sepulcro, alta noite, para alimentar-se do sangue dos vivos. [...] Apenas cumpre considerar que, entre nós, vampiro é toda entidade ociosa que se vale, indebitamente, das possibilidades alheias e, em se tratando de vampiros que visitam os encarnados, é necessário reconhecer que eles atendem aos sinistros propósitos a qualquer hora, desde que encontrem guarida no estojo de carne dos homens.[310]

Vampirismo, portanto, na visão de André Luiz, é processo de profunda ligação mental, verdadeiro parasitismo espiritual, em que a entidade obsessora se nutre dos eflúvios energéticos do encarnado. Esse processo surge pelo ódio, vingança, desvios morais, viciações variadas, em que a incapacidade de transformar-se para o bem e de perdoar estabelece disputas com alta carga de desarmonia.

2 TIPOS DE OBSESSÃO

A obsessão se desdobra em diversos tipos, pode originar-se tanto do plano espiritual para o plano físico, quanto deste para aquele. Emmanuel afirma:

> Observando-se a mediunidade como sintonia, a obsessão é o equilíbrio de forças inferiores, retratando-se entre si.
> Fenômeno de reflexão pura e simples, não ocorre tão somente dos chamados *mortos* para os chamados *vivos*, porque, na essência, muita vez aparece entre os próprios Espíritos encarnados a se subjugarem reciprocamente pelos fios invisíveis da sugestão[311] (grifo no original).

---

309 KARDEC, Allan. *O livro dos médiuns*. Segunda parte, cap. XXIII, it. 237, p. 259, 2013.
310 XAVIER, Francisco Cândido. *Missionários da luz*. Cap. 4, p. 44-45, 2013.
311 Id. *Pensamento e vida*. Cap. 27, p. 111.

O autor espiritual mostra no trecho que a obsessão é bilateral e que ocorre entre encarnados e desencarnados. Por sua vez, Manoel Philomeno de Miranda, citado por Suely C. Schubert, assim relaciona os tipos de obsessão: "[...] existem problemas obsessivos em várias expressões, como os de um encarnado sobre outro; de um desencarnado sobre outro; de um encarnado sobre um desencarnado e genericamente, deste sobre aquele."[312]

Uma importante contribuição para o entendimento das obsessões foi dada na obra *Obsessão/desobsessão*,[313] em que a autora, lastreada na dissertação de Philomeno de Miranda, classifica os diversos tipos de obsessão:

2.1 De encarnado para encarnado

Domínio mental de uma pessoa sobre outra, estabelecendo medo, ciúme, inveja, etc.

2.2 De desencarnado para desencarnado

Espíritos vingativos que se impõem a outros Espíritos, controlando-lhes pensamentos e emoções ou dando-lhes ordens, que são por eles cumpridas, sem oposição, por meio de processos hipnóticos graves.

2.3 De encarnado para desencarnado

Envolvimento obsessivo do encarnado sobre os que já desencarnaram, pelo apego, crítica, revolta, falta de aceitação da desencarnação, ódio, etc.

2.4 De desencarnado para encarnado

É a modalidade de obsessão comumente conhecida, já que pela invisibilidade o Espírito pode facilmente influenciar os que estão no corpo físico.

---

312 SCHUBERT, Suely Caldas, *Obsessão/desobsessão*. Primeira parte, cap. 5, p. 39.
313 Nota da organizadora: Sugerimos leitura do capítulo 5 do livro *Obsessão/desobsessão*, de Suely Caldas Schubert.

2.5 Obsessão recíproca

Espíritos situados em um mesmo plano de vida (quer no físico quer no espiritual) se obsidiam mutuamente, estabelecendo entre si ideias fixas, que alimentam animosidades diversas.

2.6 Auto-obsessão

O sentimento de culpa normalmente estabelece um circuito mental vicioso em que a alma se torna incapaz de se auto perdoar, de se aceitar e superar o trauma gerado por suas ações inferiores. Sem forças ou coragem para reparar o erro cometido, deprime-se, tornando-se obsessora de si mesma. Outros estados emocionais podem também estabelecer o mesmo processo enfermiço como, por exemplo, a ansiedade, o egoísmo, o orgulho e o medo descontrolados.

Reconhecer os tipos e graus da obsessão é essencial para se estabelecer o auxílio efetivo aos envolvidos. Impede, também, a não julgar precipitadamente, acusando o desencarnado de responsável único pela enfermidade do encarnado, uma vez que este é sempre partícipe da distonia que sofre.

ATIVIDADE PRÁTICA 2:
EXERCÍCIO DE AUTOCONHECIMENTO: *QUEM SOU EU?*

Objetivo do exercício

> Enfatizar a importância do autoconhecimento para fins da harmonização psíquica.

Sugestões ao monitor

1. Explicar aos participantes que por intermédio da dinâmica *Quem sou eu?* É possível, de forma simples, refletir a respeito de características da própria personalidade que podem favorecer ou dificultar comportamentos positivos no bem.

2. Esclarecer, igualmente, que o exercício deve ser realizado individualmente, de acordo com o seguinte roteiro:

    - Participantes sentados em círculo recebem do dinamizador uma folha de papel contendo três perguntas: *Quais são as minhas raízes? Que tipo de pessoa eu sou? Quais são as minhas expectativas de vida?*

    - Cada participante deve ler as perguntas e, de forma objetiva, escrever uma resposta para cada uma delas; deve dobrar o papel e, sem se identificar, colocá-lo em uma caixa, indicada pelo monitor, que servirá de urna.

    - Terminada essa etapa, agita-se a caixa para embaralhar os papeis e, então, faz redistribuição das páginas. É importante que nenhum dos participantes receba o papel que contenha as próprias respostas. Se tal acontecer, devolvê-lo à caixa, e fazer novo sorteio.

    - Em seguida, os participantes devem ler o conteúdo escrito no papel, procurando descobrir quem poderia ser, entre os colegas, o(a) autor(a) das respostas. Caso não ocorra a identificação, mesmo com o auxílio dos demais participantes, pedir à pessoa que se identifique.

3. Encerrar o estudo com uma prece de gratidão, proferida por um dos participantes.

REFERÊNCIAS

1 KARDEC, Allan. *O livro dos espíritos*. Trad. Evandro Noleto Bezerra. 4. ed. 1. imp. Brasília: FEB, 2013.

2 _____. *O livro dos médiuns*. Trad. Evandro Noleto Bezerra. 2. ed. 1. imp. Brasília: FEB, 2013.

3 _____. *O evangelho segundo o espiritismo*. Trad. Evandro Noleto Bezerra. 2. ed. 1. imp. Brasília: FEB, 2013.

4 SCHUBERT, Suely Caldas. *Obsessão/desobsessão*. 2. ed. 6. imp. Brasília: FEB, 2013.

5 XAVIER, Francisco Cândido. *Missionários da luz*. Pelo Espírito André Luiz. 45. ed.1. imp. Brasília: FEB, 2013.

6 _____. *Pensamento e vida*. Pelo Espírito Emmanuel. 19. ed. 1. imp. Brasília: FEB, 2013.

O OBSESSOR E O OBSIDIADO

Para a perfeita compreensão dos mecanismos da obsessão, com vistas à assistência desobsessiva, importa identificar quem é o obsessor e o obsidiado, bem como os vínculos que os unem.

1   O OBSESSOR

Obsessor é o que busca influenciar mentalmente o obsidiado, com a expectativa de dominar-lhe a razão e os atos. Normalmente, considera-se obsessor uma alma cruel, que pratica o mal por puro prazer. A verdade nem sempre é esta. Pela impossibilidade de comunicar a realidade em que se estaciona, o desencarnado sofre, às vezes, injustamente, a acusação de perseguidor, quando, no cerne de toda a problemática, pode ele ser a vítima que busca, pela vingança, reparação do mal que lhe foi causado. Definindo obsessor, na obra *Obsessão/desobsessão*, assim se expressa Suely Caldas Schubert:

> Não é um ser estranho a nós. Pelo contrário. É alguém que privou de nossa convivência, de nossa intimidade, por vezes com estreitos laços afetivos. É alguém, talvez, a quem amamos outrora. Ou um ser desesperado pelas crueldades que recebeu de nós, nesse passado obumbroso, que a bênção da reencarnação cobriu com os véus do esquecimento quase completo, em nosso próprio benefício. O obsessor é o irmão, a quem os sofrimentos e desenganos desequilibraram, certamente com a nossa participação.[314]

O Espírito que hoje importuna e persegue foi, portanto, alguém que sofreu de forma drástica, desequilibrando-se na dor, e que retorna do passado em estado doentio, por culpa, direta ou indireta, do obsidiado. Analisando a posição do obsessor, afirma Emmanuel pela psicografia de Francisco Cândido Xavier:

> Obsessor, em sinonímia correta, quer dizer "aquele que importuna". E "aquele que importuna" é, quase sempre, alguém que nos participou a convivência

---

314 SCHUBERT, Suely Caldas. *Obsessão/desobsessão*. Primeira parte, cap. 13, p. 84.

profunda no caminho do erro, a voltar-se contra nós quando estejamos procurando a retificação necessária. No procedimento de semelhante criatura, a antipatia com que nos segue é semelhante ao vinho do aplauso convertido no vinagre da crítica. Daí, a necessidade de paciência constante para que se lhe regenerem as atitudes. [...] Obsessores visíveis e invisíveis são nossas próprias obras, espinheiros plantados por nossas mãos[315] (aspas no original).

Assim, o obsessor pode ter sido vítima de crueldades sofridas em vidas passadas ou é o familiar ou amigo abandonado, prejudicado ou traído. A responsabilidade pelos cometimentos se impõe ao obsidiado que, em um e outro caso, é o causador do sofrimento de outrem.

É imperioso, pois, desqualificar o obsessor da posição de ofensor sem remédio, para vê-lo na condição de alma necessitada de orientação, encaminhamento, amor e educação. Neste sentido, acusar o desencarnado de ser uma pessoa indigna é falta de caridade, já que ambos, obsessor e obsidiado, são enfermos intimamente envolvidos numa trama de mágoas e ausência de perdão.

Contudo, há Espíritos que procuram prejudicar outrem por inveja, ciúme, ou algo semelhante; outros porque se mantém contrariados contra a expansão de certas ideias ou princípios com as quais não guarda sintonia; o fanatismo ou intransigência religiosa, assim como os diferentes tipos de preconceitos são outras tantas causas da obsessão. As entidades obsessivas estabelecem influência negativa que pode ser neutralizada pela vontade firme do encarnado em se manter sintonizado com Jesus e com os Espíritos superiores. A propósito, esclarece Allan Kardec:

> Há Espíritos obsessores sem maldade, que até mesmo são bons, mas dominados pelo orgulho do falso saber. Têm suas ideias, seus sistemas sobre as ciências, a economia social, a moral, a religião, a filosofia, e querem fazer que suas opiniões prevaleçam. Para isso, procuram médiuns bastante crédulos para os aceitar de olhos fechados e que lhes fascinam, a fim de os impedir discernirem o verdadeiro do falso. São os mais perigosos, já que os sofismas nada lhes custam [...].[316]

2 O OBSIDIADO

Obsidiado é aquele que passivamente recebe sugestões mentais negativas e lhes dá acolhida. Suely Caldas Schubert, na mesma obra anteriormente

---

315 XAVIER, Francisco Cândido. *Seara do Médiuns*. Cap. "Obsessores", p. 85-87, 2013.
316 KARDEC, Allan. *O livro dos médiuns*. Segunda parte, cap. XXIII, it. 246, p. 265-266.

referida, define obsidiado: "O obsidiado é o algoz de ontem e que agora se apresenta como vítima. Ou então é o comparsa de crimes, que o cúmplice das sombras não quer perder, tudo fazendo por cerceá-lo em sua trajetória."[317]

O enfermo espiritual de agora foi, em muitos casos, o responsável pelo descaminho de outrem. A obsessão é como se fora o passado que retorna, ensejando o reencontro reparador com o antigo comparsa ou vítima, segundo as manifestações da lei de causa e efeito a que todos estão vinculados, a fim de que, reajustando-se perante a lei de Deus, perseguido e perseguidor encontrem o caminho da libertação espiritual que os conduzirá à conquista da elevação sublime.

É possível, todavia, com esforço e vontade firme, transformar inimigos em amigos, pois a reencarnação "[...] nem sempre é sucesso expiatório, como nem toda luta no campo físico expressa punição. [...]",[318] ensina Emmanuel com sabedoria:

> [...] Toda restauração exige dificuldades equivalentes. Todo valor evolutivo reclama serviço próprio. Nada existe sem preço. Por esse motivo, se as paixões gritam jungidas aos flagelos que lhes extinguem a sombra, as tarefas sublimes fulgem ligadas às renunciações que lhes acendem a luz.[319]

Se o esquecimento do reencarnado impede a completa lembrança dos fatos que iniciaram a contenda, e que agora se desdobra, é por conta e obra da misericórdia divina, uma vez que a recordação poderia se configurar como demais penosa, o que impediria a renovação dos sentimentos. Lembrar, nem sempre é salutar, como assinala, a respeito, o orientador Emmanuel:

> Examinando o esquecimento temporário do pretérito, no campo físico, importa considerar cada existência por estágio de serviço em que a alma readquire, no mundo, o aprendizado que lhe compete [...].
>
> E isso, na essência, é o que verdadeiramente acontece, porque, pouco a pouco, o Espírito reencarnado retoma a herança de si mesmo, na estrutura psicológica do destino, reavendo o patrimônio das realizações e das dívidas que acumulou, a se lhe regravarem no ser, em forma de tendências inatas, e reencontrando as pessoas e as circunstâncias, as simpatias e as aversões, as vantagens e as dificuldades, com as quais se ache afinizado ou comprometido.[320]

Ódios, amores desequilibrados, vícios, desvios da rota evolutiva poderiam ser revividos e repetidos, retirando o mérito do esforço da

---

317 SCHUBERT, Suely Caldas, Obsessão/desobsessão. Primeira parte, cap. 11, p. 77.
318 XAVIER, Francisco Cândido. *Religião dos espíritos*. Cap. "Reencarnação", p. 57, 2013.
319 Id. Ibid. Cap. "Reencarnação", p. 58.
320 Id. Ibid. Cap. "Esquecimento e Reencarnação", p. 111 a 113, 2013

autotransformação. Mas, pela reflexão do que se sofre, pode-se avaliar o que foi realizado e replanejar o futuro. Com o reconhecimento de que há necessidade de reparação, o obsidiado esforça-se para buscar o perdão, e a perdoar-se, conforme as circunstâncias, buscando na compreensão, na renúncia e na reforma interior, a força necessária para fornecer o bom exemplo ao perseguidor que, tocado no âmago do ser, igualmente se transforma para melhor.

Muitas obsessões surgem pelo interesse em uma vida regada pelo prazer e pela irresponsabilidade comportamental. Assim, é preciso tato para saber interferir no conluio estabelecido entre encarnado e desencarnado sem lhes violar o livre-arbítrio. Afinal, obsessor e obsidiado não são estranhos entre si. Atraídos por desejos e viciações não resolvidas, encarnados e desencarnados unem-se em processos desarmônicos. Nessas condições, as emoções e sentimentos são corrompidos com o passar do tempo, produzindo desordens consideráveis à mente, com graves consequências no cosmo orgânico. Daí Allan Kardec elucidar: "Há pessoas que se comprazem numa dependência que favorece seus gostos e desejos".[321]

Vemos, assim, que as paixões humanas inferiores são os condicionantes de processos mentais mórbidos. Obsessor e obsidiado são, na verdade, enfermos da alma em busca do soerguimento espiritual. Guardam fraquezas emocionais e psíquicas que lhes impedem reconhecer a ilusão em que se encontram. Com o tempo, trabalho, estudo, esforço aprenderão a se libertar dessa prisão espiritual em que ora se encontram.

---

321 KARDEC, Allan. *O livro dos espíritos*. Q. 476-comentários, p. 234.

ATIVIDADE PRÁTICA 3:
O AUTOCONHECIMENTO SEGUNDO SANTO AGOSTINHO

Objetivo do exercício

> Refletir a respeito da proposta de Santo Agostinho para obtenção do conhecimento de si mesmo.

Sugestões ao monitor

1. Pedir aos participantes que formem grupos para leitura e troca de ideias a respeito do texto, inserido a seguir, extraído de *O livro dos espíritos*.

2. Orientá-los, em seguida, a se organizarem em um círculo para debaterem, em plenária, as seguintes questões:

    - Por que é importante o conhecimento de si mesmo?
    - Que meios são disponibilizados na sociedade atual para obter o autoconhecimento?
    - Quais são as principais dificuldades/obstáculos que interferem no conhecimento de si mesmo?

3. Após o debate, realizado em clima harmônico e favorável à participação de todos, propor aos participantes que, com base nas ideias dos autores espirituais e nas manifestadas pelos colegas, elaborar por escrito um pequeno roteiro que oriente como alcançar o autoconhecimento. Esclarecer que este roteiro será analisado na próxima reunião de estudo.

4. Indicar um dos participantes para fazer a prece de encerramento, acompanhada de breve irradiação mental pelos obsessores e obsidiados.

AUTOCONHECIMENTO

Allan Kardec indagou os orientadores da Codificação Espírita: "Qual o meio prático mais eficaz que tem o homem de se melhorar nesta vida e de resistir ao arrastamento do mal?"[322]

Obteve dos benfeitores esta sábia resposta: "Um sábio da Antiguidade[323] vos disse: Conhece-te a ti mesmo.[324]

O Espírito Santo Agostinho, em *O livro dos espíritos*, aconselha como adquirir o conhecimento de si mesmo:

> Fazei o que eu fazia quando vivi na Terra: ao fim do dia, interrogava a minha consciência, passava em revista o que havia feito e perguntava a mim mesmo se não faltara a algum dever, se ninguém tivera motivo para se queixar de mim. Foi assim que cheguei a me conhecer e a ver o que em mim precisava de reforma. Aquele que, todas as noites, recordasse todas as ações que praticara durante o dia e perguntasse a si mesmo o bem ou o mal que houvera feito, rogando a Deus e ao seu anjo de guarda que o esclarecessem, adquiriria grande força para se aperfeiçoar, porque, crede-me, Deus o assistirá. Portanto, questionai-vos, interrogai-vos sobre o que tendes feito e com que objetivo agistes em dada circunstância [...].[325]

---

322 KARDEC, Allan. *O livro dos espíritos*. Q. 919, p. 394, 2013.
323 Nota da organizadora: O sábio da Antiguidade é alusão ao filósofo Sócrates (469–399 a.C.).
324 KARDEC, Allan. Op. Cit. Q. 919, p. 394, 2013.
325 Id. Ibid. Q. 919-a, p. 395.

REFERÊNCIAS

1. KARDEC, Allan. *O livro dos espíritos*. Trad. Evandro Noleto Bezerra. 4. ed. 1. imp. Brasília: FEB, 2013.
2. _____. *O livro dos médiuns*. Trad. Evandro Noleto Bezerra. 2. ed. 1 imp. Brasília: FEB, 2013.
3. SCHUBERT, Suely Caldas. *Obsessão/desobsessão*. 2. ed. 6. imp. Brasília: FEB, 2013.
4. XAVIER, Francisco Cândido. *Religião dos espíritos*. Pelo Espírito Emmanuel. 22. ed. 1. imp. Brasília: FEB, 2013.
5. _____. *Seara dos médiuns*. Pelo Espírito Emmanuel. 20. ed. 1. imp. Brasília: FEB, 2013.

PROGRAMA I – MÓDULO III – TEMA 4

O PROCESSO OBSESSIVO

O processo obsessivo constitui-se em uma sucessão de eventos que culmina com o domínio do obsidiado pelo obsessor, a ponto de subtrair-lhe a saúde mental, física, social e familiar.

No início da obsessão, o Espírito perseguidor localiza na sua vítima "[...] os condicionamentos, a predisposição e as defesas desguarnecidas, disso tudo se vale o obsessor para instalar a sua onda mental na mente da pessoa visada. [...]"[326] Em seguida, envolve-a em seus fluidos perispirituais a fim de garantir efetiva sintonia mental entre ambos. Esta só acontece porque, agindo de forma persistente, o obsessor envia "[...] os seus pensamentos, numa repetição constante, hipnótica, à mente da vítima, que, incauta, *invigilante*, assimila-os e reflete-os, deixando-se dominar pelas ideias intrusas"[327] (grifo no original).

1 SINTONIA OBSESSIVA

Analisando o processo das obsessões, Allan Kardec anota:

> Quando um Espírito, bom ou mau, quer atuar sobre um indivíduo, envolve-o, por assim dizer, no seu perispírito, como se fora um manto. Os fluidos de ambos se interpenetram, os pensamentos e as vontades dos dois se confundem e o Espírito pode então se servir do corpo do indivíduo como se fosse seu, fazendo-o agir à sua vontade, falar, escrever, desenhar, quais os médiuns. Se o Espírito é bom, sua ação é suave, benfazeja, não impelindo o indivíduo senão à prática de bons atos; se é mau, força-o a prática de ações más. Se é perverso e malfazejo, aperta-o como numa teia, paralisa-lhe até a vontade e mesmo o juízo, que ele abafa com o seu fluido, como se abafa o fogo sob uma camada de água. Faz o indivíduo pensar, agir em seu lugar, impele-o, contra a sua vontade, a atos extravagantes ou ridículos; em suma: magnetiza-o, lança-o num estado de catalepsia moral, fazendo dele um instrumento cego da sua vontade. Tal é a causa da obsessão, da fascinação e da subjugação, que se produzem em graus de intensidade muito diversos.[328]

---

326 SCHUBERT, Suely Caldas Schubert. Obsessão/desobsessão. Primeira parte, cap. 9, p. 61.
327 Id. Ibid., p. 62.
328 KARDEC, Allan. *Obras póstumas*. Primeira parte, "Manifestações dos Espíritos", cap. VII, it. 56, p. 94-95, 2009.

O texto descreve as etapas do processo obsessivo, que nasce da sintonia mental estabelecida entre o obsessor e o obsidiado e que pode conduzir às seguintes consequências: a) conjugação de fluidos perispirituais; b) simbiose de pensamentos, emoções e sentimentos; c) domínio mental do obsessor que mina a lucidez do obsidiado, induzindo-o a ações danosas.

Embora a entidade obsessora passe a comandar pensamentos e ações do encarnado, em especial nos casos mais avançados de fascinação e de subjugação, o Espírito não se apossa do corpo da vítima, como alguns acreditam. A ligação é sempre psíquica. Sobre isso, indaga Allan Kardec:

> *Um Espírito pode tomar momentaneamente o invólucro corpóreo de uma pessoa viva, isto é, introduzir-se num corpo animado e agir no lugar do Espírito que nele se encontra encarnado?* (grifo no original).
>
> O Espírito não entra num corpo como entras numa casa. Identifica-se com um Espírito encarnado, cujos defeitos e qualidades sejam os mesmos que os seus, a fim de agirem conjuntamente. Mas é sempre o Espírito encarnado quem atua, conforme queira, sobre a matéria de que se acha revestido. Um Espírito não pode substituir-se ao que está encarnado, pois este terá que permanecer ligado ao seu corpo até o termo fixado para sua existência material.[329]

A questão acima esclarece a vulgarmente chamada "possessão", que pressupõe não só a existência de demônios, isto é, uma categoria especial de seres voltados para o mal, mas também a possibilidade deles coabitar o corpo de alguém que se encontra reencarnado. Como tais entidades não existem, e não há possibilidade de coabitação num mesmo corpo, não existe a possessão, no sentido clássico do termo. Esta é a elucidação feita pelo Codificador: "Pela palavra *possesso* deve-se entender apenas a dependência absoluta em que uma alma pode achar-se com relação a Espíritos imperfeitos que a subjuguem.[330]

O perseguidor somente encontrará ambiente para obsidiar se o perseguido oferecer-lhe as condições favoráveis, isto é, fornecer-lhe brecha psíquica favorável: irritação, mágoa, ciúme, inveja, revide a uma agressão/ofensa, consumo da substância química entorpecente, dentre outros. O obsessor ardiloso, aproveitando-se da oportunidade, lança comandos mentais em forma de imagens, sensações e de lembranças de atos ocorridos no passado. Se acolhidas, o sentimento de ódio, a culpa, a melancolia, a irritabilidade, o medo, etc., ficarão aguçados.

---

329 KARDEC, Allan. *O livro dos espíritos*. Q. 473, p. 233, 2013.
330 Id. Ibid. Q. 474, p. 234.

Permitida a incursão obsessiva inicial, a hipnose se estabelece, e os pensamentos vão gradativamente se ajustando ao comando do obsessor.

2 INFECÇÕES FLUÍDICAS

Alimentada a intimidade psíquica/mental entre o obsessor e o obsidiado, esta gera consequências graves. Se não houver uma intervenção capaz de cessar a ligação estabelecida, tanto a mente quanto o corpo físico do obsidiado começarão a exibir os sinais do colapso das energias, perceptível pelos pensamentos desconexos, perda do senso crítico, tomada de decisões inadequadas, instabilidade emocional como: irritabilidade/calmaria, depressão/euforia, delírios/alucinações e somatizações orgânicas manifestadas na forma de enfermidades variadas. São estados decorrentes do que o Espírito André Luiz denomina de "infecções fluídicas", cujo agravamento pode produzir danos irreversíveis à delicada tecedura psíquica, durante a reencarnação:

> Muitos acometem os adversários que ainda se entrosam no corpo terrestre, empolgando-lhes a imaginação com formas mentais monstruosas, operando perturbações que podemos classificar como *"infecções fluídicas"* e que determinam o colapso cerebral com arrasadora loucura.
>
> E ainda muitos outros, imobilizados nas paixões egoísticas desse ou daquele teor, descansam em pesado monoideísmo, ao pé dos encarnados, de cuja presença não se sentem capazes de se afastar[331] (grifo no original).

Espíritos com alta carga de negatividade prostram-se juntos a encarnados invigilantes intoxicando-lhes o perispírito com as emanações deletérias que carregam e que, ao serem assimiladas, geram o mesmo estado de desequilíbrio:

> Assim como o corpo físico pode ingerir alimentos venenosos que lhe intoxicam os tecidos, também o organismo perispiritual pode absorver elementos de degradação que lhe corroem os centros de força, com reflexos sobre as células materiais. Se a mente da criatura encarnada ainda não atingiu a disciplina das emoções, se alimenta paixões que a desarmonizam com a realidade, pode, a qualquer momento, intoxicar-se com as emissões mentais daqueles com quem convive e que se encontrem no mesmo estado de desequilíbrio. Às vezes, semelhantes absorções constituem simples fenômenos sem maior importância; todavia, em muitos casos, são suscetíveis de ocasionar perigosos desastres orgânicos. Isto acontece, mormente

---

331 XAVIER, Francisco Cândido; VIEIRA, Waldo. *Evolução em dois mundos*. Primeira parte, cap. 15, p. 118, 2013.

quando os interessados não têm vida de oração, cuja influência benéfica pode anular inúmeros males.[332]

Na análise que se segue, Suely Caldas Schubert esclarece o processo mórbido mencionado, reportando-se a André Luiz:

> André Luiz, no livro *Libertação*, analisando a obsessão de Margarida, denominou-a de "cerco temporariamente organizado" e observou que os obsessores atuavam de forma cruel e meticulosa. Ao lado dela ficavam permanentemente Espíritos hipnotizadores. Entre as técnicas utilizadas por eles, ressaltamos o que se poderia chamar de "vibrações maléficas", isto é, energias desequilibrantes e perturbadoras que eram aplicadas pelos algozes com a finalidade de prostrá-la, colocando-a completamente vencida.
>
> Além da constrição mental, o perseguidor se utiliza também do envolvimento fluídico, o que torna o paciente combalido, com as suas forças debilitadas, chegando até ao estado de prostração total. Dessa forma ele não tem condições de lutar por si mesmo, cerceado mentalmente e enfraquecido fisicamente.
>
> Após consolidar o cerco, o obsessor passa a controlar sua vítima por telepatia, favorecida agora pela sintonia mental que se estabeleceu entre ambos. Essa comunhão mental é estreita e, ainda que a distância, o perseguidor controla o perseguido, que age teleguiado pela mente mais forte[333] (grifo no original).

As "infecções fluídicas", fruto das intoxicações perispirituais, são a base para a somatização da obsessão. O perispírito, ao assimilar as energias deletérias (fluídicas e mentais) do obsessor, ou de outras entidades vinculadas ao processo, repassa as vibrações negativas ao corpo físico que, na forma de somatizações, revela-se enfermo.

3 OBSESSÃO E MEDIUNIDADE

O médium ostensivo ou de efeitos patentes, quando no exercício de sua faculdade, encontra na obsessão um dos maiores obstáculos ao seu progresso espiritual e à prática mediúnica. Allan Kardec afirma que todo esforço deve ser envidado para evitar e debelar esse mal:

> A obsessão, como dissemos, é uma dos maiores escolhos da mediunidade e também um dos mais frequentes. Por isso mesmo, nunca serão demais os esforços que se empreguem para combatê-la, visto que, além dos inconvenientes pessoais que acarreta, é um obstáculo absoluto à excelência e à veracidade das comunicações. Sendo a obsessão, seja qual for o grau em que se apresente, resultado de um constrangimento e não podendo este ser exercido jamais por

---

332 XAVIER, Francisco Cândido. *Missionários da luz*. Cap. 19, p. 336-337, 2013.
333 SCHUBERT, Suely Caldas. *Obsessão/desobsessão*. Primeira parte, cap. 9, p. 63-64.

um Espírito bom, conclui-se que toda comunicação dada por um médium obsidiado é de origem suspeita e não merece nenhuma confiança. Se, por vezes, se encontra nela alguma coisa boa, que se retenha o que for bom e se rejeite tudo o que pareça simplesmente duvidoso.[334]

O Codificador enumera, no item 243 de *O livro dos médiuns*, nove características pelas quais se pode reconhecer a obsessão que acomete o médium, as quais merecem ser lidas com atenção. Essas características podem ser resumidas nas seguintes: persistência de um Espírito em se comunicar; ilusão do médium em relação à qualidade da comunicação que recebe; crença na infalibilidade dos Espíritos que por ele se comunicam; disposição de se afastar das pessoas que possam dar bons conselhos; reação negativa à crítica das comunicações que recebe; necessidade constante de psicografar (ou exercer outro tipo de mediunidade) em locais e horários inadequados; constrangimento que impulsione o médium a falar contra a vontade; ruídos e perturbações ao redor do médium.

Como vimos, o processo obsessivo é ocorrência complexa. Inicia-se sutilmente. O obsessor é dissimulado, sua presença nem sempre é percebida e, quando se dispõe a observar a futura vítima, passa a emitir pensamentos em direção do encarnado, envolvendo-o. Se o encarnado recebe a mensagem do obsessor, sem identificar-lhe a origem, acredita que emana de sua própria mente.

O modo de não permitir o avanço do processo obsessivo é mudar o foco da atenção e a natureza das emissões mentais. Sem isso, o processo agrava-se com a perda do senso crítico, causando um comportamento estereotipado. Complica-se com a acentuada perda fluídica do obsidiado, tendo seu clímax na aniquilação da vontade, com pensamentos delirantes e abalos na saúde psíquica e física.

Por tudo isso, deve-se despender todo esforço na prevenção da obsessão. É sempre melhor prevenir do que remediar, afirma a sabedoria popular.

Pensar e fazer o bem, lutando contra os maus pensamentos são, hoje e sempre, medidas de equilíbrio físico, psíquico e espiritual.

---

334 KARDEC, Allan. *O livro dos médiuns*. Segunda parte, cap. XXIII, it. 242, p. 262-263, 2013.

ATIVIDADE PRÁTICA 4: ROTEIRO PARA O AUTOCONHECIMENTO

Objetivo do exercício

> Construir um roteiro que favoreça o processo de autoconhecimento, tendo como referências orientações de Espíritos esclarecidos.

Sugestões ao monitor

1. Pedir à turma que se reúna em grupos para, em conjunto, realizar as seguintes atividades: a) analisar os roteiros individuais de autoconhecimento, solicitados como tarefa na reunião anterior; b) construir um roteiro coletivo de autoconhecimento, tendo como referências as orientações de *O livro dos espíritos*, questões 919 e 919-a, e as principais ideias dos roteiros individuais, elaborados e apresentados pelos colegas na reunião anterior.

2. Sugerir, inicialmente, a formação de quatro grupos para a fusão dos roteiros individuais. Concluída esta primeira etapa, os quatro grupos se organizam em dois para fusão de ideias. Por último, os dois grupos se reúnem e compõem um único roteiro de autoconhecimento, representativo do conjunto de ideias trabalhadas pela turma. (Veja esquema a seguir).

3. Um relator é indicado para, em plenária, apresentar a conclusão final do trabalho.

4. Analisar, rapidamente, as ideias apresentadas, informando que, no próximo encontro, estas serão analisadas com mais atenção.

5. Realizar a prece de encerramento da reunião.

ESQUEMA DE FORMAÇÃO DOS GRUPOS

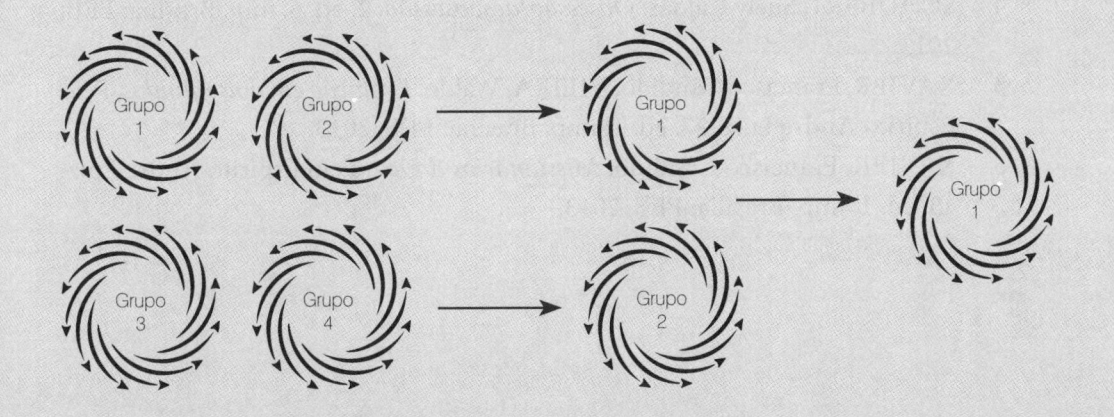

REFERÊNCIAS

1. KARDEC, Allan. *Obras póstumas*. Trad. Evandro Noleto Bezerra. 1. ed. Rio de Janeiro: FEB, 2009.
2. _____. *O livro dos espíritos*. Trad. Evandro Noleto Bezerra. 4. ed. 1. imp. Brasília: FEB, 2013.
3. _____. *O livro dos médiuns*. Trad. Evandro Noleto Bezerra. 2. ed. 1. imp. Brasília: FEB, 2013.
4. SCHUBERT, Suely Caldas. *Obsessão/desobsessão*. 2. ed. 6. imp. Brasília: FEB, 2013.
5. XAVIER, Francisco Cândido; VIEIRA, Waldo. *Evolução em dois mundos*. Pelo Espírito André Luiz. 27. ed. 1. imp. Brasília: FEB, 2013.
6. XAVIER, Francisco Cândido. *Missionários da luz*. Pelo Espírito André Luiz. 45. ed. 1. imp. Brasília: FEB, 2013.

PROGRAMA I – MÓDULO III – TEMA 5

DESOBSESSÃO: RECURSOS ESPÍRITAS

Independentemente da gravidade apresentada, a desobsessão é tarefa que demanda esforço, pois envolve a libertação espiritual dos envolvidos: o obsessor e o obsidiado. "Erraríamos frontalmente se julgássemos que a desobsessão apenas auxilia os desencarnados que ainda pervagam nas sombras da mente. Semelhantes atividades beneficiam a eles, a nós, bem assim os que nos partilham a experiência cotidiana. [...]"[335]

> [...] A desobsessão vige, desse modo, por remédio moral específico, arejando os caminhos mentais em que nos cabe agir, imunizando-nos contra os perigos da alienação e estabelecendo vantagens ocultas em nós, para nós e em torno de nós, numa extensão que, por enquanto, não somos capazes de calcular. Através dela, desaparecem doenças-fantasmas, empeços obscuros, insucessos, além de obtermos com o seu apoio espiritual mais amplos horizontes ao entendimento da vida e recursos morais inapreciáveis para agir, diante do próximo, com desapego e compreensão.[336]

1 RECURSOS DESOBSESSIVOS ESPÍRITAS

As ações desobsessivas variam de acordo com os tipos e graus da obsessão. Nas obsessões simples, basta a mudança de modo de pensar do obsidiado: é "[...] provar ao Espírito que não está iludido por ele e que não lhe será possível enganar; depois, cansar a sua paciência, mostrando-se mais paciente que ele. [...]."[337] Nos graus mais avançados, é necessário, muitas vezes, associar recursos espíritas com a atenção de profissionais da área médica e/ou psicológica. Em qualquer situação, a oração, o passe, o estudo, o trabalho no bem, entre outros, são recursos de inestimável valor.

---

335 XAVIER, Francisco Cândido Xavier; VIEIRA, Waldo Vieira. *Desobsessão*. Cap. 64, p. 241.
336 Id. Ibid., p. 242.
337 KARDEC, Allan. *O livro dos médiuns*. Segunda parte, cap. XXIII, it. 249, p. 267, 2013.

Para a desobsessão alcançar êxito, esclarece o Codificador, é preciso ter em mente que "[...] a obsessão é sempre o resultado de uma imperfeição moral, que dá acesso a um Espírito mau. A causas físicas se opõem forças físicas; a uma causa moral, tem-se de opor uma força moral [...]."[338] Neste contexto, faz-se necessário fortificar moralmente o Espírito, encarnado (obsidiado) e o desencarnado (obsessor).

> Daí a necessidade do obsidiado trabalhar pela sua própria melhoria, o que basta na maioria das vezes para livrar o obsessor, sem recorrer a terceiros. O auxílio destes se torna indispensável quando a obsessão degenera em subjugação e possessão [forma grave da subjugação], porque, então, o paciente muitas vezes perde a vontade e o livre-arbítrio.[339]

1.1 A prece

Allan Kardec, aborda a temática da prece como recurso terapêutico na desobsessão:

> *A prece é um meio eficiente para curar a obsessão?* (grifo no original).
>
> A prece é um poderoso socorro em tudo. Mas crede que não basta murmurar algumas palavras para obter o que deseja. Deus assiste os que agem, e não os que se limitam a pedir. É preciso, pois, que o obsidiado faça, por sua vez, o que for necessário para destruir em si mesmo a causa que atrai os Espíritos maus.[340]

É salutar o hábito diário de orar, independentemente da existência de processo obsessivo, pois, "[...] pela prece o homem atrai o concurso dos Espíritos bons, que vêm sustentá-lo em suas boas resoluções e inspirar-lhe bons pensamentos. Ele adquire, desse modo, a força moral necessária para vencer as dificuldades e voltar ao caminho reto, se deste se afastou. [...]"[341]

A prece pode ser realizada a sós ou em grupo, em qualquer lugar e horário, em silêncio ou em voz alta, conforme as circunstâncias. Os bons Espíritos aconselham estabelecer um dia e horário para a prece em família, nas reuniões conhecidas como *Culto do Evangelho no Lar*. Ensina Emmanuel:

> Quando o ensinamento do Mestre vibra entre as quatro paredes de um templo doméstico, os pequeninos sacrifícios tecem a felicidade comum.
>
> A observação impensada é ouvida sem revolta.

---

338 KARDEC, Allan. *O evangelho segundo o espiritismo*. Cap. XXVIII, it. 81, p. 370, 2013.
339 Id. Ibid., p. 370.
340 Id. *O livro dos espíritos*. Q. 479, p. 235, 2013.
341 Id. *O evangelho segundo o espiritismo*. Cap. XXVII, it. 11, p. 317, 2013.

A calúnia é isolada no algodão do silêncio.

A enfermidade é recebida com calma.

O erro alheio encontra compaixão.

A maldade não encontra brechas para insinuar-se.[342]

A reunião do Evangelho no Lar deve ser assinalada pela simplicidade, assim delineada:[343]

a. Leitura: de uma página de um livro de mensagens — *Fonte viva, Vinha de luz, Pão nosso, Caminho, verdade e vida* —, visando a harmonização e sintonia de todos;

b. Prece inicial;

c. Leitura e comentários de *O evangelho segundo o espiritismo* ou de página evangélica, com a participação de todos os presentes. O estudo poderá ser enriquecido com histórias ou narrativas de fatos reais vinculadas ao assunto;

d. Poderão ser feitas vibrações pelos familiares, amigos, enfermos e outros;

e. Prece de encerramento.

Emmanuel recomenda continuidade da reunião, a fim de que se estabeleça permanente assistência dos benfeitores espirituais, que passam, semanalmente, a visitar o lar de quem ora em família: "[...] Escolhe alguns minutos por semana e reúne-te com os laços domésticos que te possam acompanhar no cultivo da lição de Jesus. Quanto seja possível, na mesma noite e no mesmo horário, faze o teu círculo íntimo de meditação e de estudo.[344]

1.2 Aprimoramento íntimo

A prevenção e cura de enfermidades espirituais exige renovação do panorama mental em que a criatura humana se compraz. Para tanto, é preciso trabalhar a própria vontade, a fim de colher bons resultados. Aliada à prece, a vontade é força consciente que impulsiona o Espírito para a sua transformação íntima, liberando-o das faixas de influências negativas. Para o Espírito Emmanuel, a vontade assemelha-se à "[...] gerência esclarecida e

---

342 XAVIER, Francisco Cândido. *Luz no lar*. Cap. 1, p. 12, 2010.
343 Federação Espírita Brasileira. *Orientação ao centro espírita*. Cap. III, it. F, p. 50.
344 XAVIER, Francisco Cândido. *Família*. Cap. "Jesus em casa", p. 25-26.

vigilante, governando todos os setores da ação mental. A divina Providência concedeu-a por auréola luminosa à razão, depois da laboriosa e multimilenária viagem do ser pelas províncias obscuras do instinto."[345]

Uma só coisa, no entanto, é fundamental: "Aprendamos a conhecer-nos e conheceremos os outros. Retifiquemos a nossa vida por dentro de nós e a vida por fora se nos revelará sempre por maravilha de Deus".[346] Não se trata de realização incompleta, ocasional ou de fácil empreendimento. É preciso perseverar com firmeza, transformando a vontade em aliada disciplinadora da vida:

> É através das ideias, das palavras e sobretudo das ações que formamos nossa atmosfera particular capaz de nos identificar perante nossas companheiros de jornada. O aprimoramento íntimo é obra de autoeducação, reclamando, entre outros recursos, o tempo e a virtude da perseverança.[347]

1.3 O passe e a água magnetizada

O obsidiado encontra-se envolvido em fluidos negativos provenientes do obsessor, que lhe perturbam a harmonia interior. É necessário substituir tais energias deletérias, que impregnam o perispírito e o corpo físico do enfermo encarnado, pela transfusão de elementos reparadores fornecidos pela prece, pelo passe e pela água magnetizada (ou fluidificada). O passe, atividade usual na Casa Espírita, é energia de natureza magnético-espiritual que apresenta significativo valor terapêutico. Elucida Allan Kardec a respeito:

> Nos casos de obsessão grave, o obsidiado se acha como que envolvido e impregnado de um fluido pernicioso, que neutraliza a ação dos fluidos salutares e os repele. É desse fluido que importa desembaraçá-lo. [...] Mediante ação idêntica à do médium curador nos casos de enfermidade, é preciso que se expulse o fluido mau com o auxílio de um fluido melhor, que produz, de certo modo, o efeito de um reativo. Esta é a ação mecânica, mas que não basta; é preciso, acima de tudo, *que se atue sobre o ser inteligente*, ao qual se possa falar com autoridade, que só existe onde há superioridade moral. Quanto maior for esta, tanto maior será igualmente a autoridade[348] (grifo no original).

O atendimento espiritual pelo passe é amplificado pela assistência de Espíritos elevados, conforme o seguinte relato de André Luiz ao observar uma sessão de passes ocorrida em determinada casa espírita que visitou:

---
345 Id. *Pensamento e vida*. Cap. 2, p.11, 2013.
346 Id. *Rumo certo*. Cap. 13, p. 40, 2013.
347 SOUZA, Juvanir Borges de. *Tempo de transição*. Cap.32, p. 271, 2002.
348 KARDEC, Allan. O *evangelho segundo o espiritismo*. Cap. XXVIII, it. 81, p. 370, 2013.

O trabalho era atendido por seis entidades, envoltas em túnicas muito alvas, como enfermeiros vigilantes. Falavam raramente e operavam com intensidade. Todas as pessoas, vindas ao recinto, recebiam-lhes o toque salutar e, depois de atenderem aos encarnados, ministravam socorro eficiente às entidades infelizes do nosso plano, principalmente as que se constituíam em séquito familiar dos nossos amigos da Crosta.[349]

O passe é revigoramento de energias transfundidas em nível perispiritual que se reflete na organização física, com evidentes benefícios orgânicos. Não só o encarnado é beneficiado pelo passe, mas também os desencarnados necessitados, em geral, e o obsessor, em particular. É fundamental, contudo, que o enfermo encarnado, num exercício de fé raciocinada, se integre confiante à assistência a que se submete. A mente sintonizada com o bem e desejosa de receber o benefício favorece a assimilação das energias que lhe estão sendo administradas:

> [...] Na assistência magnética, os recursos espirituais se entrosam entre a emissão e a recepção, ajudando a criatura necessitada para que ela ajude a si mesma. A mente reanimada reergue as vidas microscópicas que a servem, no templo do corpo, edificando valiosas reconstruções. O passe, como reconhecemos, é importante contribuição para quem saiba recebê-lo, com o respeito e a confiança que o valorizam.[350]

A água magnetizada ou fluidificada é também veículo eficaz de fluidos medicamentosos que, ao serem absorvidos pelo perispírito, são transferidos ao corpo físico, balsamizando-os. André Luiz faz referência a esse importante recurso terapêutico quando descreve a ação de Clementino, elevado orientador espiritual, no processo de magnetização da água:

> Com efeito, mal acabávamos de ouvir o apontamento, Clementino se abeirou do vaso e, de pensamento em prece, aos poucos se nos revelou coroado de luz.
>
> Daí a instantes, de sua destra espalmada sobre o jarro, partículas radiosas eram projetadas sobre o líquido cristalino que as absorvia de maneira total.
>
> — Por intermédio da água fluidificada — continuou Aulus —, precioso esforço de medicação pode ser levado a efeito. Há lesões e deficiências no veículo espiritual a se estamparem no corpo físico, que somente a intervenção magnética consegue aliviar, até que os interessados se disponham à própria cura.[351]

---

349 XAVIER, Francisco Cândido. *Missionários da luz*. Cap. 19, p. 331, 2013.
350 Id. *Nos domínios da mediunidade*. Cap. 17, p. 199-200, 2013.
351 Id. Ibid. Cap. 12, p. 123-124.

1.4 Explanação do Evangelho

Conforme o grau da obsessão, nem sempre a pessoa revela, de imediato, condições para ser encaminhada a um grupo de estudo doutrinário, onde poderia obter o necessário esclarecimento espírita a respeito da problemática que a atinge: inquietações variadas; instabilidade emocional; incapacidade para manter atenção por maior período de tempo em assuntos estudados; esgotamento físico, sono, etc. Nestas condições, deve ser orientada a participar de reuniões semanais de explanação do Evangelho que, além de serem breves (não excedem 30 minutos), criam um momento de acolhimento e esclarecimento espíritas, em razão da beleza e singeleza das elevadas vibrações propiciadas pela mensagem de Jesus.

Em tais reuniões, benfeitores espirituais encontram-se a postos para atender encarnados e desencarnados, envolvendo-os em elevadas e salutares energias. A atividade pode transcorrer segundo este roteiro: a) leitura de breve página espírita, para harmonização do ambiente; b) prece sucinta de abertura da reunião; c) leitura e comentários de pequeno trecho de *O evangelho segundo o espiritismo* por, no máximo, 20 minutos; d) prece objetiva de encerramento da reunião; e) aplicação do passe pode estar disponibilizada. Os vasilhames de água, trazidos pelos enfermos ou seus familiares, são magnetizados pelos benfeitores espirituais, ao longo da reunião.

1.5 Irradiação mental

A irradiação mental é "[...] uma reunião privativa de vibração em conjunto para irradiar energias de paz, de amor e de harmonia, inspirada na prática do Evangelho à luz da Doutrina Espírita, em favor de encarnados e desencarnados carentes de atendimento espiritual.[352] Trata-se de uma atividade de atendimento espiritual aos que sofrem, complementar ao passe e às demais ações desobsessivas espíritas.

O enfermo pode estar presente à reunião, se apresenta condições para tal. Caso contrário, familiares ou amigos vibram pela pessoa ausente, ou indicam à equipe diretora da atividade o nome de quem necessita de vibrações e preces.

A finalidade dessa atividade espírita é desenvolver a expansão do pensamento e dos fluidos salutares, pelo controle da vontade, produzindo ideoplastias

---

352 Federação espírita Brasileira. *Orientação ao centro espírita.* Cap. III, it. E, p. 47, 2007.

ou imagens mentais positivas, capazes de envolver o necessitado de auxílio, encarnado ou desencarnado, e transmitir-lhe bem estar físico e espiritual.

O roteiro da reunião, que não deve ultrapassar o tempo de 30/40 minutos, se resume nas seguintes etapas: a) leitura inicial, e breve, de página espírita; b) prece sucinta de abertura; c) irradiações ou vibrações mentais, não superior a dez minutos; d) prece final. Caso haja possibilidade, o passe pode ser facultado; e) vasilhames contendo água poderão ser colocados em local à parte para magnetização pelos benfeitores espirituais.

1.6 O esclarecimento doutrinário à entidade obsessora

Concomitante às ações desenvolvidas junto ao encarnado que se encontra sob jugo obsessivo, é essencial o atendimento à entidade obsessora. Com auxílio dos trabalhadores espirituais que atuam nos grupos mediúnicos da Casa Espírita, o obsessor é encaminhado ao esclarecimento doutrinário, pelo diálogo fraterno, manifestando-se por meio dos médiuns psicofônicos. Médiuns videntes podem, igualmente percebê-los.

Por se tratar de uma atividade planejada e definida pelo dirigente espiritual da reunião mediúnica, este encontrará o momento propício para conduzir o obsessor ao grupo, assim como selecionar os médiuns que apresentam melhores condições de atendimento à entidade necessitada. Em tais reuniões privativas, o médium esclarecedor (dialogador) conversará com a entidade sofredora que, com autoridade moral, procura conduzi-lo à reflexão, ao perdão, ao desejo do bem e à sua educação moral, encerrando a perseguição nefasta. Emmanuel afirma, em *O consolador,* que o momento do esclarecimento pelo diálogo é de transfusão de amor, de evangelização do Espírito perturbador:

> *Existe diferença entre doutrinar e evangelizar?* (grifo no original).
>
> — Há grande diversidade entre ambas as tarefas. Para doutrinar, basta o conhecimento intelectual dos postulados do Espiritismo; para evangelizar é necessário a luz do amor no íntimo. Na primeira, bastarão a leitura e o conhecimento; na segunda, é preciso vibrar e sentir com o Cristo. Por estes motivos, o doutrinador muitas vezes não é senão o canal dos ensinamentos, mas o sincero evangelizador será sempre o reservatório da verdade, habilitado a servir às necessidades de outrem, sem privar-se da fortuna espiritual de si mesmo.[353]

---

353 XAVIER, Francisco Cândido. *O consolador.* Q. 237, p. 160, 2013.

Importa destacar, enfaticamente, que o encarnado sob obsessão não deve participar das reuniões mediúnicas, pois, além de não apresentar condições fundamentais: conhecimento doutrinário, harmonia psíquica e emocional, evita-se confrontos com o seu perseguidor desencarnado, o que, caso ocorra, lhe trará maiores transtornos. Entretanto, os integrantes do grupo mediúnico podem e devem, no momento propício da reunião, emitir vibrações mentais e prece em benefício do encarnado enfermo. (Este assunto será objeto de estudos aprofundados no Programa II).

Os recursos desobsessivos espíritas devem ser estendidos à família do obsidiado que, por sua vez, procura envolver o enfermo em manifestações de carinho, atenção e amor, acompanhando-o às reuniões de atendimento espiritual e de apoio desobsessivo, existentes na Casa Espírita. O abnegado Bezerra de Menezes nos ensina: "Sim, é preciso reunir forças e prosseguir vivendo e lutando pela conquista da paz interior e pela conquista da harmonia familiar com os recursos disponíveis. [...]"[354]

Pela compreensão que ora se tem dos processos obsessivos, e dos seus reflexos psíquicos, emocionais e orgânicos, é necessário, às vezes, associá-los à assistência médica e/ou psicológica, dentre outros, visando atender, de forma ampla e eficaz, o enfermo. O ideal é que o médico e/ou o psicólogo tenham conhecimento espírita para melhor compreenderem a problemática e ser capaz de estabelecerem diagnóstico diferencial com patologias psiquiátricas, propriamente ditas, e as obsessões de natureza espiritual.

Conforme o grau de comprometimento orgânico do obsidiado, os profissionais da Medicina/Psicologia indicarão procedimentos terapêuticos apropriados, inclusive o uso de medicamentos.

Recordemos, contudo, que mais importante do que tratar obsessões, é sempre melhor preveni-las, envidando esforços contínuos relacionados à prática do bem e à melhoria moral. Este, sim, deve ser o trabalho cotidiano de todos nós.

---

354 XAVIER, Francisco Cândido. *Apelos cristãos*. Cap. "Perante os problemas do lar", p. 57.

ATIVIDADE PRÁTICA 5: Harmonização psíquica e irradiação mental

Objetivo do exercício

> Construir um roteiro que favoreça o processo de autoconhecimento, tendo como referências orientações de Espíritos esclarecidos.

Sugestões ao monitor

1. Sugerir aos participantes que, individual e silenciosamente, realizem um exercício de irradiação mental, envolvendo a si mesmos em vibrações harmônicas de serenidade e equilíbrio, extraídas do reservatório infinito da Espiritualidade maior.

2. Em seguida, instruí-los a projetar nas telas mentais alguém que se encontre enfermo do espírito, ou que passa por dificuldades que caracterizam, possivelmente, influência espiritual inferior.

3. Com a imagem do enfermo encarnado e do possível desencarnado que o desarmoniza fixada na mente, projetar energias benéficas para ambos, transmitindo-lhes um clima de harmonia e de saúde.

4. Concluído o exercício, realizar breve avaliação, e proceder ao encerramento dos trabalhos com uma prece de agradecimento.

REFERÊNCIAS

1. KARDEC, Allan. *O evangelho segundo o espiritismo*. Trad. Evandro Noleto Bezerra. 2. ed. 1. imp. Brasília: FEB, 2013.
2. _____. *O livro dos espíritos*. Trad. Evandro Noleto Bezerra. 4. ed. 1. imp. Brasília: FEB, 2013.
3. _____. *O livro dos médiuns*. Trad. Evandro Noleto Bezerra. 2. ed. 1. imp. Brasília: FEB, 2013.
4. FEDERAÇÃO ESPÍRITA BRASILEIRA. *Orientação ao centro espírita*. Texto aprovado pelo Conselho Federativo Nacional. 1. ed. Rio de Janeiro: FEB, 2007.
5. SOUZA, Juvanir Borges. *Tempo de transição*. 3. ed. Rio de Janeiro: FEB, 2002.
6. XAVIER, Francisco Cândido; VIEIRA, Waldo. *Desobsessão*. Pelo Espírito André Luiz. 1. edição especial. Rio de Janeiro: FEB, 2007.
7. XAVIER, Francisco Cândido. *Apelos Cristãos*. Pelo Espírito Bezerra de Menezes. 3. ed. Belo Horizonte: UEM, 2012.
8. _____. *Família*. Por diversos Espíritos. 5. ed. São Paulo: CEU, 1986.
9. _____. *Luz no lar*. Por diversos Espíritos. 12. ed. 1. reimp. Rio de Janeiro: FEB, 2010.
10. _____. *Missionários da luz*. Pelo Espírito André Luiz. 45. ed. 1. imp. Brasília: FEB, 2013.
11. _____. *Nos domínios da mediunidade*. Pelo Espírito André Luiz. 34. ed. 4. reimp. Rio de Janeiro: FEB, 2011.
12. _____. *O consolador*. Pelo Espírito Emmanuel. 29. ed.1. imp. Brasília: FEB, 2013.
13. _____. *Pensamento e vida*. Pelo Espírito Emmanuel. 19. ed.1. imp. Brasília: FEB. 2013.
14. _____. *Rumo certo*. Pelo Espírito Emmanuel. 12. ed.1. imp. Brasília: FEB, 2013.

PROGRAMA I – MÓDULO III – TEMA 6

A PRÁTICA DA CARIDADE COMO AÇÃO DESOBSESSIVA

Diante da realidade das perseguições espirituais, consequentes do atraso moral da humanidade, há de se indagar como se prevenir das obsessões.

A obsessão para se instalar depende da sintonia entre perseguido e perseguidor. É dessa comunhão de pensamentos que se deve afastar. Para tanto, somente a elevação dos sentimentos e dos pensamentos criará a devida proteção contra as investidas dos obsessores. Nesse contexto, surge a prática do bem pela vivência da caridade que se constitui na mais eficaz ação preventiva das obsessões.

Em *O evangelho segundo o espiritismo* temos:

> Caridade e humildade, tal o único caminho da salvação. Egoísmo e orgulho, tal o da perdição. Este princípio se acha formulado em termos precisos nas seguintes palavras: "Amarás a Deus de toda a tua alma e a teu próximo como a ti mesmo; *toda a lei e os profetas se acham contidos nesses dois mandamentos.*" E, para que não haja equívoco sobre a interpretação do amor de Deus e do próximo, acrescenta: "E aqui está o segundo mandamento que é semelhante ao primeiro", isto é, que não se pode verdadeiramente amar a Deus sem amar o próximo, nem amar o próximo sem amar a Deus. Logo, tudo o que se faça contra o próximo é o mesmo que fazê-lo contra Deus. Não podendo amar a Deus sem praticar a caridade para com o próximo, todos os deveres do homem se encontram resumidos nesta máxima: *fora da caridade não há salvação* (grifo no original).[355]

Vemos, assim, que a prática da caridade é veículo para o crescimento espiritual. Pela caridade o indivíduo vence o orgulho e o egoísmo, que retardam o progresso, estabelecem conflitos entre indivíduos e povos, fazendo-se com que se cerre os olhos às necessidades alheias. Praticar a caridade é fazer o bem, sem distinções ou preconceitos. Engloba tudo o que se possa fazer a outrem, em forma de bondade e amor. Vai desde o ato de

---

[355] KARDEC, Allan. *O evangelho segundo o espiritismo*. Cap. XV, it. 5, p. 204, 2013.

socorrer a fome, agasalhar o desabrigado, e outros gestos materiais, passa pelo esclarecimento intelectual e espiritual, de elevado poder libertador, e se completa com renúncia de si em favor do próximo.

Por vezes ainda se despontam aqueles que creem que caridade é ato de quem oferece esmola. Allan Kardec demonstra que é muito mais:

> Qual o verdadeiro sentido da palavra caridade, tal como Jesus a entendia? (grifo no original).
>
> Benevolência para com todos, indulgência para com as imperfeições dos outros, perdão das ofensas.[356]

Caridade, assim definida, vai muito além da oferta de recursos materiais, para alcançar as relações interpessoais. Para a perfeita apreensão do sentido mais elevado da resposta acima, cumpre analisar: benevolência, indulgência e perdão das ofensas, na visão dos Espíritos superiores.

1 BENEVOLÊNCIA

Entende-se por benevolência toda disposição favorável com o próximo. A cordialidade, a tolerância, a benignidade são seus consentâneos. Benévolo é o que demonstra afeto, amizade, fraternidade, respeito. Emmanuel pondera a respeito:

> A caridade é sublime em todos os aspectos sob os quais se nos revele e em circunstância alguma devemos esquecer a abnegação admirável daqueles que distribuem pão e agasalho, remédio e socorro para o corpo, aprendendo a solidariedade e ensinando-a.
>
> [...]
>
> O aviso do Instrutor divino nas anotações de Lucas[357] significa: dai esmola de vossa vida íntima, ajudai por vós mesmos, espalhai alegria e bom ânimo, oportunidade de crescimento e elevação com os vossos semelhantes, sede irmãos dedicados ao próximo, porque, em verdade, o amor que se irradia em bênçãos de felicidade e trabalho, paz e confiança, é sempre a dádiva maior de todas[358]

Pela interpretação de Emmanuel, benévolo é o que distribui o sustento ao corpo, no aprendizado e no ensino da solidariedade. Mas é, também, o que distribui alegria, bom ânimo, esperança em benefício do próximo.

---

356 KARDEC, Allan. *O livro dos espíritos*. Q. 886, p. 379, 2013.
357 Nota da organizadora: Emmanuel faz referência à citação evangélica: *Dai antes esmola do que tiverdes* (Lucas, 11:41).
358 XAVIER, Francisco Cândido. *Fonte viva*. Cap. 60, p. 136, 2013.

2 INDULGÊNCIA

Indulgência é a capacidade de ser tolerante com as ações ou imperfeições dos outros. É agir com bondade, fraternidade, solidariedade e misericórdia nos relacionamentos pessoais.

No livro *Pão nosso*, consta as seguintes observações:

> Sejamos compreensivos para com os ignorantes, vigilantes para com os transviados na maldade e nas trevas, pacientes para com os enfermiços, serenos para com os irritados e, sobretudo, manifestemos a bondade para com todos aqueles que o Mestre nos confiou para os ensinamentos de cada dia.
>
> [...]
>
> Busquemos o amor fraterno, espontâneo, ardente e puro.
>
> A caridade celeste não somente espalha benefícios. Irradia também a divina luz.[359]

Indulgência é entendimento, compreensão, é colocar-se no lugar do outro para procurar compreender suas ações e deslizes. A indulgência não prescreve a conivência com os erros alheios, mas determina que possamos auxiliar o próximo a se corrigir, sabendo que o mal é um estado transitório.

3 PERDÃO

Perdoar é esquecer as ofensas de forma incondicional. No livro *Pensamento e vida*, Emmanuel afirma: "[...] o perdão será sempre profilaxia segura, garantindo, onde estiver, saúde e paz, renovação e segurança."[360] Em outra obra, o mesmo autor fala sobre o perdão:

> Os expoentes da má-fé costumam interpretar falsamente as palavras do Mestre, com relação à resistência ao mal.
>
> Não determinava Jesus que os aprendizes se entregassem, inermes, às correntes destruidoras.
>
> Aconselhava a que nenhum discípulo retribuísse violência por violência.
>
> Enfrentar a crueldade com armas semelhantes seria perpetuar o ódio e a desregrada ambição no mundo.
>
> O bem é o único dissolvente do mal, em todos os setores, revelando forças diferentes.
>
> [...]

---

359 XAVIER, Francisco Cândido. *Pão nosso*. Cap. 99, p. 211-212, 2013.
360 Id. *Pensamento e vida*. Cap. 25, p. 105, 2013.

Jesus, todavia, nos aconselha a defesa do perdão setenta vezes sete, em cada ofensa, com a bondade diligente, transformadora e sem-fim.[361]

O perdão constitui-se dissolvente do mal, base da saúde emocional, fator de proteção espiritual e equilíbrio do ser humano. Nessa perspectiva é ato unilateral, que dispensa a concordância do outro. Se o desafeto for incapaz de perdoar, o tempo haverá de clarear-lhe a consciência, mostrando-lhe a impropriedade da vingança, do ódio e da mágoa.

Allan Kardec ensina[362] a orar pelos que nos perseguem, nisso constituindo mérito para o obsidiado, que lhe abreviará a expiação. Emmanuel, por sua vez, complementa:

> Reportamo-nos aos companheiros tímidos e vacilantes, embora bem intencionados, para concluir que, em todas as tarefas humanas, podemos sentir a presença do Senhor, santificando o trabalho que nos foi cometido. Por isso, não podemos olvidar a lição evangélica de que seria abençoado qualquer esforço no bem, ainda que fosse apenas o de ministrar um copo de água pura em seu nome.[363]

4 A PRÁTICA DA CARIDADE COMO MEDIDA PREVENTIVA DA OBSESSÃO

O espírita, onde, quando e como se encontre, deve filiar-se a uma atividade que lhe exercite a prática da caridade, buscando aquela com a qual guarde maior afinidade, na própria Casa Espírita ou em outra instituição; ou mesmo na comunidade, em organizações governamentais ou não governamentais. O importante é incorporar o exercício do bem nas atividades corriqueiras da vida.

O médium, em especial, por necessitar melhor compreender os Espíritos sofredores, exercitam esta compreensão em atividades junto aos sofredores encarnados. Aliás, não se justifica que o espírita, médium ou não, sob quaisquer pretextos, se limite apenas a adquirir conhecimento sem, contudo, colocá-lo em prática.

Ir ao encontro dos que sofrem, amenizar-lhe a dor das provações, às vezes muito dolorosas, é dever moral de cada adepto do Espiritismo. Somente assim estará apto para desfraldar a bandeira do Espiritismo — *Fora*

---
361 XAVIER, Francisco Cândido. *Vinha de luz.* Cap. 62, p. 137-138, 2013.
362 KARDEC, Allan. *O evangelho segundo o espiritismo.* Cap. XXVIII, it. 52, p. 355, 2013.
363 XAVIER, Francisco Cândido. *Fonte viva.* Cap. 146, p. 310, 2013.

da Caridade não há Salvação —, com firmeza e sinceridade, sobretudo no meio onde o sofrimento campeia: órfãos e crianças abandonadas; jovens transviados; idosos desamparados; famintos desesperados; enfermos, da alma e do corpo, prisioneiros da dor; legiões de almas perdidas nas viciações de todos os matizes, alienados da vida...

Sejamos, então, cada um de nós, em qualquer posição que ocupemos na vida, um bom samaritano, como ensina a belíssima parábola ensinada por Jesus, (Lucas, 10:30 a 35), a partir da qual Humberto de Campos (Irmão X) apresenta estas conclusões:

> Em todos os tempos, há exércitos de criaturas que ensinam a caridade; todavia, poucas pessoas praticam-na verdadeiramente. [...] É por isso que a caridade, antes de tudo, pede compreensão. Não basta entregar os haveres ao primeiro mendigo que surja à porta, para significar a posse da virtude sublime. É preciso entender-lhe a necessidade e ampará-lo com amor. Desembaraçar-se dos aflitos, oferecendo-lhes o supérfluo, é livrar-se dos necessitados, de maneira elegante, com absoluta ausência de iluminação espiritual. A caridade é muito maior que a esmola. Ser caridoso é ser profundamente humano e aquele que nega entendimento ao próximo pode inverter consideráveis fortunas no campo de assistência social, transformar-se em benfeitor dos famintos, mas terá que iniciar, na primeira oportunidade, o aprendizado do amor cristão, para ser efetivamente útil.[364]

---

364 XAVIER, Francisco Cândido. *Lázaro redivivo*. Cap. 19, p. 103-105, 2010.

ATIVIDADE PRÁTICA 6: SINTA A MINHA DIFICULDADE!

Objetivo do exercício

> Exercitar a solidariedade pela identificação de dificuldades do próximo.

Sugestões ao monitor

1. Apresentar aos participantes as seguintes instruções para a realização do exercício:

    - Registrar uma dificuldade que acredita possuir que o impede ou cria obstáculos ao bom relacionamento interpessoal. Este registro deve ser feito em letra de forma (caixa alta) em uma tira de papel, com o intuito de manter em segredo a identidade de quem fez o registro.

    - Dobrar a tira de papel e colocá-la em uma caixa situada à vista de todos.

    - Retirar uma tira de papel da caixa (é importante que ninguém retire o próprio registro. Caso isto aconteça, substituí-lo por outro).

    - Ler o que está escrito no papel e dramatizar, por palavras, gestos, ou ambos, a dificuldade ali registrada, procurando vivenciá-la como se tivesse este defeito.

2. Ao final, realizar apreciação geral do exercício executado, destacando a importância de se esforçar para compreender as dificuldades e limitações do próximo, a fim de construir bons relacionamentos pessoais.

3. Ler a página *Siga feliz,* transmitida pelo Espírito André Luiz, como prece de encerramento da reunião.

SIGA FELIZ[365]
André Luiz

Viva em paz com a sua consciência.

Sempre que você se compare com alguém, evite o orgulho e desprezo, reconhecendo que em todos os lugares existem criaturas acima e abaixo de sua posição.

Consagre-se ao trabalho que abraçou, realizando com ele o melhor que você possa, no apoio ao bem comum.

Trate o seu corpo na condição de primoroso instrumento, qual se deve a maior atenção no desempenho da própria tarefa.

Ainda que se veja sob graves ofensas, não guarde ressentimento, observando que somos todos — os Espíritos em evolução na Terra — suscetíveis de errar.

Cultive sinceridade com bondade para que a franqueza agressiva não lhe estrague belos momentos no mundo.

Procure companhias que lhe possam doar melhoria de espírito e nobreza de sentimentos.

Converse humanizando ou elevando aquilo que se fala.

Não exija da vida aquilo que a vida ainda não lhe deu, mas siga em frente no esforço de merecer a realização dos seus ideais.

E, trabalhando e servindo sempre, você obterá prodígios, no tempo, com a bênção de Deus.

---
365 XAVIER, Francisco Cândido. *Momentos de ouro.* P. 131-134, 1977.

REFERÊNCIAS

1. KARDEC, Allan. *O evangelho segundo o espiritismo*. Trad. Evandro Noleto Bezerra. 2. ed. 1. imp. Brasília: FEB, 2013.
2. _____. *O livro dos espíritos*. Trad. Evandro Noleto Bezerra. 4. ed. 1. imp. Brasília: FEB, 2013.
3. XAVIER, Francisco Cândido. *Fonte viva*. Pelo Espírito Emmanuel. 1. ed. 5. reimp. Brasília: FEB, 2013.
4. ___ *Lázaro redivivo*. Pelo Espírito Irmão X. 12. ed. 2. reimp. Rio de Janeiro: FEB, 2010.
5. _____. *Momentos de ouro*. Diversos Espíritos. São Bernardo do Campo: GEEM, 1977.
6. _____. *Pão nosso*. Pelo Espírito Emmanuel. 1. ed. 5. imp. Brasília: FEB, 2013.
7. _____. *Pensamento e vida*. Pelo Espírito Emmanuel. 19. ed. 1. imp. Brasília: FEB, 2013.
8. _____*Vinha de luz*. Pelo Espírito Emmanuel. 1. ed. 4. imp. Brasília: FEB, 2013.

PROGRAMA I – MÓDULO III

ATIVIDADE COMPLEMENTAR DO MÓDULO

Seminário: Mediunidade e obsessão em Crianças

Esta atividade está direcionada para o fechamento dos assuntos estudados no módulo III: mediunidade, obsessão, desobsessão.

O tema do seminário, *Mediunidade e obsessão em crianças* apresenta-se como assunto atual, considerando o número significativo de crianças que, precocemente — às vezes desde o berço —, revela sinais de possível mediunidade e/ou influência obsessiva.

Nesse contexto, é preciso conduzir o estudo na forma de análise reflexiva, a fim de orientar com mais discernimento e bom senso os genitores e demais membros da família espírita.

Sugere-se, então, que o convite para a participação no seminário seja estendido aos participantes da Casa Espírita interessados no assunto, não se limitando, apenas, aos estudantes do curso de Mediunidade.

Sugestão de referência bibliográfica para a elaboração do seminário

1. KARDEC, Allan. *O livro dos médiuns*. Segunda parte. Cap. 18. FEB.
2. AKSAKOF, Alexandre. *Animismo e espiritismo*. Cap. 3. FEB.
3. MENEZES, Bezerra de. *A loucura sob novo prisma*. Cap. 3. FEB.
4. FRANCO, Divaldo Pereira. *Nos bastidores da obsessão*. Exórdio. FEB.
5. ESPÉRANCE, Elisabeth de. *No país das sombras*. Cap. 3. FEB.

6. XAVIER, Francisco Cândido. *Instruções psicofônicas*. Cap. 19, *Ação e reação*. Cap. 8, *Nos domínios da mediunidade*. Cap. 9 e 24. FEB.

7. MIRANDA, Hermínio Corrêa de. *Sobrevivência e comunicabilidade dos espíritos*. Cap. 10. FEB.

8. ANJOS, Luciano dos; MIRANDA, Hermínio Corrêa de. *Crônicas de um e outro: de Kennedy ao homem artificial*. Cap. 14. FEB.

9. PERALVA, Martins. *Mediunidade e evolução*. Cap. 38. FEB.

10. SCHUBERT, Suely Caldas. *Mediunidade e obsessão em crianças*. Casa Editora Pierre-Paul Didier.

11. PEREIRA, Yvonne do Amaral. *Recordações da mediunidade*. Cap. 10. FEB.

■ MEDIUNIDADE: ESTUDO E PRÁTICA

MÓDULO IV
A vida no plano espiritual

Mediunidade: Estudo e prática – Programa 1
PLANO GERAL DO MÓDULO IV
A vida no plano espiritual

TEMAS TEÓRICOS	ATIVIDADES PRÁTICAS (Harmonização e percepção psíquicas)
1. A desencarnação. (p. 227)	1. Harmonização e percepção espirituais (1). (p. 233)
2. Os espíritos errantes. (p. 237)	2. Harmonização e percepção espirituais (2). (p. 243)
3. As comunidades do plano extrafísico. (p. 245)	3. Percepção espiritual: *A diversidade dos seres humanos.* (p. 251)
4. Exemplos de comunidades espirituais (1). (p. 253)	4. Percepção espiritual: *Identificando emoções e sentimentos.* (p. 258)
5. Exemplos de comunidades espirituais (2). (p. 261)	5. Percepção espiritual: *Ouvindo os sons da natureza.* (p. 265)

ATIVIDADES COMPLEMENTARES DO MÓDULO (OPTATIVAS):

1. Seminário: *A morte e o morrer.* (p. 267)

2. Clube de leitura. (p. 269)

A DESENCARNAÇÃO

A morte do corpo físico, ou desencarnação segundo a terminologia espírita, é um acontecimento natural, ainda que nem sempre estejamos preparados para aceitá-lo. O despreparo está muitas vezes relacionado à desinformação a respeito da continuidade da vida no plano espiritual e ao apego a pessoas e bens materiais, situação que configura o sentimento de perda, acrescido da terrível expectativa de não mais encontrar os entes queridos. Havendo, porém, o entendimento de como ocorre a morte e o prosseguimento da vida em outra dimensão, a espiritual, ameniza-se muito o medo de morrer, situação que, por outro lado, possibilita auxiliar, efetivamente, os Espíritos sofredores que se manifestam na reunião mediúnica.

À medida que o ser humano compreende que é imortal e que pode retornar à vida do corpo pela reencarnação, quantas vezes se fizerem necessárias, o medo de morrer desaparece como ensina Léon Denis: "A morte é uma simples mudança de estado, a destruição de uma forma frágil que já não proporciona à vida as condições necessárias ao seu funcionamento e à sua evolução. Para além da campa, abre-se uma nova fase de existência [...]."[366] Associa-se a estas ideias outra venturosa, plena de esperança:

> [...] A certeza de reencontrar os amigos depois da morte, de reatar as relações que tivera na Terra, *de não perder um só fruto do seu trabalho*, de engrandecer-se incessantemente em inteligência e perfeição, dá-lhe paciência para esperar e coragem para suportar as fadigas momentâneas da vida terrena [...][367] (grifo no original).

1 A SEPARAÇÃO DA ALMA DO CORPO PELA DESENCARNAÇÃO

Trata-se de um momento especial, caracterizado pelo desligamento do perispírito que, até então, encontrava-se "enraizado" no corpo físico,

---
366 DENIS, Léon. *O problema do ser, do destino e da dor*. Primeira parte, cap. X, p.129.
367 KARDEC, Allan. *O céu e o inferno*. Primeira parte, cap. II, it. 3, p. 26, 2013.

molécula a molécula, pela reencarnação.[368] A separação perispiritual é variável de indivíduo para indivíduo, ainda que o princípio que governa a separação da alma do corpo seja o mesmo para todas as pessoas.

> [...] A observação comprova que, no instante da morte, o desprendimento do perispírito não se completa subitamente; que se opera gradualmente e com uma lentidão muito variável conforme os indivíduos. Em uns é bastante rápido, podendo-se dizer que o momento da morte é também o da libertação, que se verifica logo após, em outros, sobretudo naqueles cuja vida foi *toda material e sensual*, o desprendimento é muito menos rápido, durando algumas vezes dias, semanas e até meses, o que não implica a existência, no corpo, da menor vitalidade, nem a possibilidade de um retorno à vida [...][369] (grifo no original).

A rigor, a separação perispiritual não é dolorosa, afirmam os orientadores espirituais, sobretudo em se tratando da morte natural, "[...] a que resulta do esgotamento dos órgãos em consequência da idade, o homem deixa a vida sem o perceber: é uma lâmpada que se apaga por falta de combustível."[370]

> A alma se desprende gradualmente e não se escapa como um pássaro cativo a que se restituiu subitamente a liberdade. Aqueles dois estados se tocam e se confundem, de modo que o Espírito se desprende pouco a pouco dos laços que o prendiam. *Eles se desatam não se quebram.*[371]

Outro ponto, não menos importante, é que o corpo físico não sofre com o desligamento perispiritual. Quando há sofrimento, este é de natureza emocional/moral, pois a "[...] insensibilidade da matéria inerte é um fato, e só a alma experimenta sensações de dor e prazer. [...]"[372]

Nas mortes violentas, por acidente e homicídio, o sofrimento é proporcional à compreensão que o Espírito tem a respeito da continuidade da vida em outro plano vibratório e ao grau de apego à vida material. Nestas condições, "[...] os laços que unem o corpo ao perispírito são mais *tenazes* e o desprendimento completo é mais lento."[373] Na situação específica dos suicidas, o sofrimento pode ser significativamente maior, não só pelo arrependimento do ato cometido que usualmente os atinge, mas porque, havendo ainda fluido vital circulante no organismo — visto que a desencarnação não estava prevista para aquele momento — os laços perispirituais estão mais fortemente presos ao corpo físico. Nestas condições, a separação

---

368 KARDEC, Allan. *A gênese*, cap. XI, it. 18, p.182, 2013
369 Id. *O livro dos espíritos*. Q. 155-a-comentário, p.114, 2013.
370 Id. Ibid., Q.154-comentário, p.113.
371 Id. Ibid., 155-a, p. 113.
372 Id. *O céu e o inferno*. Segunda parte, cap. I, it. 3, p.155, 2013.
373 Id. *O livro dos espíritos*. Q. 162-comentário, p.116, 2013 b.

perispiritual é "[...] muito penosa, porque o Espírito pode experimentar o horror da decomposição. Este caso é excepcional e peculiar a certos gêneros de vida e de morte; verifica-se com alguns suicidas",[374] lembra Allan Kardec.

Ocorrida a morte do corpo físico, o usual em nossa sociedade é o sepultamento do cadáver, após vinte e quatro horas. Todavia, tem sido cada vez mais comum o uso da cremação. Neste caso, a lei exige uma *Declaração de Intenção*, previamente assinada pelo falecido, ou *Autorização* de parente próximo, registradas em cartório. No meio espírita recomenda-se cremar o cadáver após setenta e duas horas, tempo considerado suficiente para o desligamento perispiritual. Mas a Lei estimula 48 horas do decesso.

Outra condição, relevante nos tempos atuais, é a doação de órgãos pela ocorrência da morte. É importante avaliar se o doador não permaneceria preso ao processo de decomposição. Indagado a respeito, Chico Xavier apresenta as seguintes ponderações:

> Sempre que a pessoa cultiva desinteresse absoluto por tudo aquilo que ela cede para alguém, sem perguntar ao beneficiado o que fez da dádiva recebida, sem desejar qualquer remuneração, nem mesmo aquela que a pessoa humana habitualmente espera com o nome de compreensão, sem aguardar gratidão alguma, isto é, se a pessoa chegou a um ponto de evolução em que a noção da posse não mais a preocupa, esta criatura está em condições de doar, porque não vai afetar o perispírito em coisa alguma.[375]

2 MECANISMOS DA DESENCARNAÇÃO

2.1 A transição do plano físico para o espiritual

Esta acontece, como foi dito, com o desligamento dos laços perispirituais que, quando se completa, o moribundo encontra-se em estado de inconsciência. O processo de transição pode ser mais ou menos duradouro, segundo as condições espirituais do desencarnante e o gênero de morte.

> Na passagem da vida corpórea para a espiritual produz-se ainda um outro fenômeno de importância capital — a perturbação. Nesse instante a alma experimenta um torpor que paralisa momentaneamente as suas faculdades, neutralizando, ao menos em parte, as sensações. É como se estivesse num estado de catalepsia, de modo que a alma quase nunca testemunha conscientemente

---

374 KARDEC, Allan. *O livro dos espíritos*. Q.155-a-comentário, p. 114.
375 NOBRE, Marlene Severino. *Lições de sabedoria*: Chico Xavier nos 23 anos da *Folha Espírita*. P. 47.

o derradeiro suspiro. Dizemos *quase nunca* porque há casos em que a alma pode contemplar conscientemente o desprendimento [...]. A perturbação pode, pois, ser considerada o estado normal no instante da morte; sua duração é indeterminada, variando de algumas horas a alguns anos. À proporção que se liberta, a alma encontra-se numa situação comparável à de um homem que desperta de profundo sono; as ideias são confusas, vagas, incertas; vê como que através de um nevoeiro, aclarando-se a vista pouco a pouco e lhe despertando a memória e o conhecimento de si mesma. Esse despertar, contudo, é bem diverso, conforme os indivíduos; nuns é calmo e cheio de sensações deliciosas; noutros é repleto de terrores e de ansiedades, qual se fora horrível pesadelo[376] (grifo no original).

2.2 Visão panorâmica e retrospectiva

Esta visão permite ao desencarnado reviver, com detalhes, os pensamentos marcantes que tivera e atos cometidos na existência que ora finda. O Espírito se vê diante de tudo que sonhou, arquitetou e realizou na vida que ora se esgota. Ideias insignificantes que tivera, os atos mínimos, desfilam, absolutamente precisos, revelados de roldão, como se existisse uma câmara ultrarrápida instalada no seu interior, projetando na mente um filme cinematográfico que, inopinadamente, vai se desenrolando.[377]

2.3 O auxílio de trabalhadores espirituais

Tudo indica que o processo desencarnatório é operado por Espíritos especializados que, em geral, agem segundo uma sequência específica, obviamente com as naturais variações, conforme as condições apresentadas pelo desencarnante, as circunstâncias e o tipo de morte.

No livro *Voltei*, psicografado por Francisco Cândido Xavier, o autor espiritual, o Espírito Jacob, relata procedimentos utilizados por benfeitores em sua desencarnação, descrevendo sensações e percepções captadas durante os procedimentos. Jacob informa que há um processo sequencial que, no seu caso, perdurou por mais de trinta horas seguidas, até o desligamento final.[378] A sua desencarnação teve início com a paulatina perda da força física associada a alterações no sistema respiratório, quando foi envolvido por emoções descontroladas e alguns sinais de aflição.

---

376 KARDEC, Allan. *O céu e o inferno*. Segunda parte, cap. I, it. 6, p.157, 2013.
377 XAVIER, Francisco Cândido. *Voltei*. Cap. 2, it. No grande desprendimento, p. 26, 2013.
378 Id. Ibid. Cap. 2, p. 25-27, 2013.

Avançando-se o desligamento perispiritual — sempre conduzido por benfeitores espirituais e a direção do venerável Bezerra de Menezes —, o Espírito percebe, nitidamente, o colapso do corpo físico, em oposição à harmonia reinante nos órgãos do perispírito. Naquele instante, Jacob teve a impressão de que possuía dois corações (refere-se ao coração do corpo físico e o do perispírito), que lhe batiam no peito. O primeiro apresentava ritmo descompassado, na iminência de silenciar para sempre; o outro revelava-se pulsante, vivo, equilibrado. Ocorrências similares produziam-se nos demais órgãos do seu organismo, revelando-lhe sempre a dualidade: desarmonia do corpo físico *versus* harmonia do perispírito.[379] No momento final, quando se desfaz o último laço perispiritual, após duas horas de operações magnéticas na cabeça, Irmão Jacob registra a sua última percepção: "[...] experimentei abalo indescritível na parte posterior do crânio. Não era pancada. Semelhava-se a um choque elétrico, de vastas proporções, no íntimo da substância cerebral. [...]"[380]

2.4 Etapas da desencarnação

Como regra geral, as etapas desencarnatórias, operadas por benfeitores e trabalhadores especializados do plano espiritual, podem ser resumidas nas que se seguem.

- *Desligamento perispiritual* na altura do abdômen, por meio de ação magnética na região para atingir o *centro vegetativo* do corpo, sede das manifestações fisiológicas do encarnado. Esclarece Martins Peralva, no livro *Estudando a mediunidade*, que com essa "[...] providência, o moribundo começa a esticar os membros inferiores, sobrevindo, logo após, o esfriamento do corpo."[381]

- *Ação no centro emocional*, situado no tórax, região da manifestação dos desejos e dos sentimentos. A operação magnética nesse local conduz à desregularidade dos batimentos e das funções cardíacas. Surgem, então, sentimentos de aflição, de angústia, de melancolia, conforme a evolução do desencarnante e o entendimento do processo. A pulsação também se revela mais fraca nessa fase.

---

379 XAVIER, Francisco Cândido. *Voltei.* Cap. 2, p. 25-26.
380 Id. Ibid., p. 26.
381 PERALVA, Martins. *Estudando a mediunidade.* Cap. 34, p. 245, 2013.

- *Atuação na região do cérebro*, onde se encontra o *centro mental*, sede da recepção e transmissão dos impulsos e comandos do Espírito. Peralva, na obra citada, explica que o trabalho dos obreiros, nesse local específico, começa na fossa romboidal, assoalho do quarto ventrículo do cérebro, que é uma cavidade situada na face posterior das estruturas nervosas do encéfalo, denominadas bulbo e protuberância. A atuação na fossa romboidal provoca efeitos imediatos na respiração e no sistema vasomotor, conduzindo a pessoa ao estado de coma, ou de inconsciência.[382]

- *Ação final no sistema nervoso central, na parte posterior do cérebro*, com o desatamento do principal laço perispiritual, que mantém firmemente unidos o perispírito e o corpo físico, e, então, conclui-se a desencarnação.[383]

---

382 PERALVA, Martins. *Estudando a mediunidade*. Cap. 34, p. 245-246, 2013.
383 Id. Ibid., p. 246.

ATIVIDADE PRÁTICA 1: HARMONIZAÇÃO E PERCEPÇÃO ESPIRITUAIS (1)

Objetivo do exercício

> Sugerir condições favoráveis ao desenvolvimento harmônico de percepções psíquicas.

Sugestões ao monitor

1. Pedir aos participantes que, em silêncio e individualmente, leiam o texto a seguir e realizem breve troca de ideias sobre o assunto, destacando a importância da harmonização mental na captação de boas percepções psíquicas.

2. Em seguida, orientá-los a cerrar os olhos e pedir-lhes que, por breves minutos, visualizem uma paisagem ou qualquer outra imagem que lhes proporcione bem-estar, tranquilidade íntima.

3. Concluído o exercício, incentivá-los a descrever a natureza das possíveis percepções que tiveram.

4. Encerrar a reunião com uma prece.

EQUILÍBRIO MENTAL NAS PERCEPÇÕES PSÍQUICAS

O Espiritismo entende que a percepção ocorre na mente do Espírito, encarnado ou desencarnado, que utiliza, respectivamente, o perispírito como mediador do processo e os órgãos físicos como executores, como esclarece Emmanuel: "[...] é *no mundo mental que se processa a gênese de todos os trabalhos da comunhão de espírito a espírito. Daí procede a necessidade de renovação idealística, de estudo, de bondade operante e de fé ativa, se pretendemos conservar o contato com os Espíritos de grande Luz.*"[384] E enfatiza, com segurança:

> Precisamos compreender — *repetimos* — *que nossos pensamentos são forças, imagens, coisas e criações visíveis e tangíveis no campo espiritual. [...] Energia viva, o pensamento desloca, em torno de nós, forças sutis, construindo paisagens ou forma e criando centros magnéticos ou ondas, com os quais emitimos a nossa atuação ou recebemos a atuação dos outros.*[385]

---

384 XAVIER, Francisco Cândido. *Roteiro*. Cap. 28, p. 117, 2012.
385 Id. Ibid., p. 118.

REFERÊNCIAS

1. KARDEC, Allan. *O céu e o inferno*. Trad. Evandro Noleto Bezerra. 2. ed. 1. imp. Brasília: FEB, 2013.
2. _____. *O livro dos espíritos*. Trad. Evandro Noleto Bezerra. 4. ed. 1. imp. Brasília: FEB, 2013.
3. DENIS, Léon. *O problema do ser, do destino e da dor*. 32. ed. 1. imp. Brasília: FEB, 2013.
4. NOBRE, Marlene Severino. *Lições de sabedoria*: Chico Xavier nos 23 Anos da *Folha Espírita*. São Paulo: Editora Jornalística FÉ, 1997.
5. PERALVA, Martins. *Estudando a mediunidade*. 27. ed. 4. imp. Brasília: FEB, 2013.
6. XAVIER, Francisco Cândido. *Roteiro*. Pelo Espírito Emmanuel. 14. ed. 1. imp. Brasília: FEB, 2012.
7. _____. *Voltei*. Pelo Espírito Irmão Jacob. 28. ed. 7. imp. Brasília: FEB, 2013.

PROGRAMA I – MÓDULO IV – TEMA 2

OS ESPÍRITOS ERRANTES

Após a morte do corpo físico, o Espírito retorna ao mundo espiritual onde passa a viver e a se preparar para nova reencarnação. Apesar das surpresas, boas ou más, que lhe caracterizam o regresso, para ele tudo se assemelha à volta do exilado à pátria de origem, ao "mundo espiritual, que preexiste e sobrevive a tudo."[386] Inicia-se, então, uma nova fase da vida em outro plano vibratório, sendo que o seu perispírito, agora liberto do corpo físico, revela com mais intensidade suas propriedades plásticas e sutis que, sob o comando do pensamento e da vontade, implementam as necessárias transformações, úteis à adaptação no plano espiritual.

> No intervalo das existências corpóreas o Espírito torna a entrar no mundo espiritual por um tempo mais ou menos longo, onde é feliz ou infeliz conforme o bem ou o mal que haja feito. [...] É no estado espiritual sobretudo que o Espírito colhe os frutos do progresso realizado pelo seu trabalho na encarnação; é também nesse estado que se prepara para novas lutas e toma as resoluções que se esforçará por colocar em prática na sua volta à humanidade [à encarnação].[387]

Ensina Emmanuel que o desencarnado integra-se, na nova moradia, a uma das inúmeras sociedades humanas existentes no Além, cuja organização social fundamenta-se nos princípios de afinidade estabelecida entre os seus habitantes, que pode ser comparada a "[...] imensa floresta de criações mentais, onde cada Espírito, em processo de evolução e acrisolamento, encontra os reflexos de si mesmo."[388]

Em geral, o Espírito desencarnado não apresenta maiores dificuldades de adaptação. Primeiro, porque está junto de quem guarda sintonia e afinidades. Segundo, porque não percebe mudanças radicais na forma de vida, pois as inúmeras coletividades do plano extrafísico "[...] em quase dois terços, permanecem naturalmente jungidas, de alguma sorte, aos interesses terrenos",[389] esclarece André Luiz.

---
386 KARDEC, Allan. *O livro dos espíritos*. Q. 85, p. 85, 2013.
387 Id. *O céu e o inferno*. Primeira parte, cap. III, ilt. 10, p. 35-36, 2013.
388 XAVIER, Francisco Cândido. *Pensamento e vida*. Cap. 18, p.75.
389 XAVIER, Francisco Cândido; VIEIRA, Waldo. *Evolução em dois mundos*. Segunda parte, cap. 7,

Tais organizações sociais aglutinam-se "[...] em verdadeiras cidades e vilarejos, com estilos variados, como acontece aos burgos terrestres, característicos da metrópole ou do campo, edificando largos empreendimentos de educação e progresso, em favor de si mesmos e a benefício dos outros."[390]

1 ESPÍRITOS ERRANTES

1.1 Conceito

Allan Kardec cunhou a expressão *Espíritos errantes* (do francês *errant* = errante, que vagueia) que, na Língua Portuguesa, tem diferentes significados, por exemplo, o de pessoa nômade ou a que não tem residência fixa. Para o Espiritismo, serve para designar o Espírito que ainda necessita passar por muitas reencarnações até que atinja o estágio de ser espiritual evoluído, característico do *Espírito puro*, isto é, o que possui superioridade "[...] intelectual e moral absoluta, com relação aos Espíritos das outras ordens."[391]

> [Espíritos puros] Percorreram todos os graus da escala e se despojaram de todas as impurezas da matéria. Tendo alcançado a soma de perfeição de que é suscetível a criatura, não têm que sofrer mais provas, nem expiações. Não estando mais sujeitos à reencarnação em corpos perecíveis, realizam a vida eterna no seio de Deus.[392]

Para Allan Kardec, os Espíritos podem se situar em três estados, tendo a reencarnação como referência:

> No tocante às qualidades íntimas, os Espíritos são de diferentes ordens ou graus, pelos quais vão passando sucessivamente, à medida que se purificam. Com relação ao estado em que se acham, podem ser: *encarnados*, isto é, ligados a um corpo; *errantes*, isto é, desligados do corpo material e aguardando nova encarnação para se melhorarem; *Espíritos puros*, isto é, perfeitos, não precisando mais de encarnação[393] (grifo no original).

Os Espíritos errantes, nesse contexto, representam um número significativo dos habitantes do Além, constituindo a maioria da humanidade terrestre desencarnada que deve reencarnar e, por meio de provas e expiações, avançar na senda do progresso. Assim, no espaço de tempo compreendido

---

p. 187, 2013
390 XAVIER, Francisco Cândido; VIEIRA, Waldo. *Evolução em dois mundos*. Segunda parte, p.188.
391 KARDEC, Allan. *O livro dos espíritos*. Q. 112, p. 96, 2013.
392 Ibid., q. 113, p. 96.
393 Id. Ibid., q. 226-comentário, p. 150.

entre uma e outra reencarnação, os Espíritos são transferidos para locais apropriados ao seu aprendizado, consoante os princípios da sintonia: "O homem desencarnado procura ansiosamente, no Espaço, as aglomerações afins com o seu pensamento, de modo a continuar o mesmo gênero de vida abandonado na Terra [...]."[394]

Há Espíritos errantes com diferentes graus de erraticidade,[395] espalhados nas inúmeras regiões do mundo espiritual, assim caracterizado por André Luiz: "[...] o plano imediato à residência dos homens jaz subdividido em várias esferas. Assim é com efeito, não do ponto de vista do espaço, mas sim sob o prisma de condições [de vida]."[396]

> No plano físico, a equipe doméstica atende à consanguinidade em que o vínculo é obrigatório, mas, no plano extrafísico, o grupo familiar obedece à afinidade em que o liame é espontâneo.
>
> Por isso mesmo, na esfera seguinte à condição humana, temos *o espaço das nações*, com as suas comunidades, idiomas, experiências e inclinações, inclusive organizações religiosas típicas, junto das quais funcionam missionários de libertação mental, operando com caridade e discrição para que as ideias renovadoras se expandam sem dilaceração e sem choque.
>
> Com esses dois terços de criaturas ainda ligadas desse ou daquele modo, aos núcleos terrenos, encontramos um terço de Espíritos relativamente enobrecidos que se transformam em condutores da marcha ascensional dos companheiros, pelos méritos com que se fazem segura instrumentação das esferas superiores[397] (grifo no original).

1.2 A natureza no plano espiritual

"A natureza do plano espiritual reflete as emissões mentais dos seus habitantes, sendo organizada por elementos semelhantes aos do plano físico, porém mais aperfeiçoados e leves, porque a matéria se encontra em outra dimensão vibratória",[398] assinala articulista de *Reformador*.

> No plano espiritual, o homem desencarnado vai lidar mais diretamente com um fluido vivo e multiforme, estuante e inestancável, a nascer-lhe da própria alma, uma vez que podemos defini-lo, até certo ponto, por subproduto do

---

394 XAVIER, Francisco Cândido. *O consolador*. Q. 148, p. 103, 2013.
395 KARDEC, Allan. *O livro dos espíritos*. Q. 225, p. 150, 2013.
396 XAVIER, Francisco Cândido; VIEIRA, Waldo. *Evolução em dois mundos*. Primeira parte, cap. 13, it. Esferas espirituais, p. 99, 2013.
397 Id. Ibid. Segunda parte, cap. 7, p. 187-188, 2013.
398 MOURA, Marta Antunes. *Reformador*. Abril de 2010, p. 25

fluido cósmico, absorvido pela mente humana em processo vitalista semelhante à respiração [...].[399]

As construções humanas e também as que estão presentes na natureza — reservatórios hídricos (oceanos, mares, rios, lagos e fontes), planícies e planaltos, flora (florestas, bosques, pomares, flores) e fauna diversificada integram a paisagem do plano extrafísico.

> Plantas e animais domesticados pela inteligência humana, durante milênios, podem ser aí aclimatados e aprimorados por determinados períodos de existência, ao fim dos quais regressam aos seus núcleos de origem no solo terrestre para que avancem na romagem evolutiva, compensados com valiosas aquisições de acrisolamento, pelas quais auxiliam a flora e a fauna habituais à Terra, com os benefícios das chamadas mutações espontâneas.[400]

1.3 Locomoção no plano espiritual

Excetuando-se as entidades que vivem nas regiões inferiores, fortemente vinculadas à crosta planetária, os Espíritos se locomovem através da volitação do corpo periespiritual. Volitar tem o mesmo significado de esvoaçar. É locomover-se acima do solo, sem auxílio de instrumentos ou de veículos. Isso é possível porque, estando os desencarnados destituídos do veículo físico, possuidor de maior peso específico, podem elevar-se na atmosfera. Evidentemente, os Espíritos mais materializados utilizam normalmente as pernas e os pés.

Em algumas cidades da espiritualidade os habitantes utilizam veículos que os transportam de um local para outro, mesmo que possam volitar. O *aeróbus* é um desses veículos, citado no livro *Nosso Lar*, de autoria de André Luiz e psicografado por Chico Xavier. Trata-se de um carro aéreo, tipo folicular, que desce até o solo, com a capacidade para transportar um número maior de Espíritos, de uma só vez.[401] Já a volitação rápida é característica dos Espíritos evoluídos. Eles podem locomover-se com incrível velocidade, "[...] com a rapidez do pensamento."[402]

---

399 XAVIER, Francisco Cândido; VIEIRA, Waldo. *Evolução em dois mundos*. Primeira parte, cap. 13, p. 97-98, 2013.
400 Id. Ibid., Cap. 13, p. 98-99, 2013.
401 XAVIER, Francisco Cândido. *Nosso Lar*. Cap. 10, p. 69, 2010.
402 KARDEC, Alan. *O livro dos espíritos*. Q. 89, p. 86, 2013.

1.4 A comunicação entre os Espíritos desencarnados

Os Espíritos se entendem por meio da comunicação telepática, projetando as próprias imagens mentais, mas utilizam também a linguagem articulada, usual entre os encarnados, sobretudo nas regiões mais próximas ao plano físico. Nas regiões superiores, o processo é inteiramente mental.

> Círculos espirituais existem, em planos de grande sublimação, nos quais os desencarnados, sustentando consigo mais elevados recursos de riqueza interior, pela cultura e pela grandeza moral, conseguem plasmar, com as próprias ideias, quadros vivos que lhes confirmem a mensagem ou o ensinamento, seja em silêncio, seja com a despesa mínima de suprimento verbal, em livres circuitos mentais de arte e beleza, tanto quanto muitas Inteligências infelizes, treinadas na ciência da reflexão, conseguem formar telas aflitivas em circuitos mentais fechados e obsessivos sobre as mentes que magneticamente jugulam.[403]

Os Espíritos de mediana evolução não se desvinculam dos ditames linguísticos, de imediato, os que lhes caracterizavam o idioma pátrio da última reencarnação.

> [...] Todavia, não obstante reconhecermos que a imagem está na base de todo intercâmbio entre as criaturas encarnadas ou não, é forçoso observar que a linguagem articulada, no chamado *espaço das nações*, ainda possui fundamental importância nas regiões a que o homem comum será transferido imediatamente após desligar-se do corpo físico[404] (grifo no original).

1.5 Alimentação dos desencarnados

Não há dúvidas de que os desencarnados se alimentam, mas de forma diferente da usual no plano físico, visto que o aparelho digestivo do perispírito sofre modificações restritivas, apropriado à ingestão de alimentos mais fluídicos. André Luiz explica que os alimentos são absorvidos por difusão cutânea no perispírito que, "[...] por meio de sua extrema porosidade, nutre-se de produtos sutilizados ou sínteses quimioeletromagnéticas, hauridas no reservatório da natureza e no intercâmbio de raios vitalizantes e reconstituintes do amor com que os seres se sustentam entre si."[405]

---

403 XAVIER, Francisco Cândido; VIEIRA, Waldo. *Evolução em dois mundos*. Segunda parte. Cap. 2, it. Linguagem dos desencarnados, p. 173-174, 2013.
404 Id. Ibid., p. 174.
405 Id. Ibid. Segunda parte, cap. 1, it. Alimentação dos desencarnados, p. 171, 2013.

1.6 A vestimenta dos desencarnados

Em geral, "[...] os Espíritos se apresentam vestidos de túnicas, envoltos em amplas roupagens, ou mesmo com os trajes que usavam em vida. O envolvimento em tecidos de gaze parece costume geral no mundo dos Espíritos. [...]."[406] O vestuário dos Espíritos menos evoluídos varia enormemente, atendendo a gostos pessoais que variam de trajes mais simples aos principescos. Há, inclusive, Espíritos que se utilizam de vestuários e acessórios específicos de certas profissões.

Depois de sua longa e bem sucedida experiência como médium, Yvonne Pereira conclui:

> Os [...] Espíritos se trajam e modificam a aparência das vestes que usam conforme lhes apraz, exclusão feita de alguns muito inferiores e criminosos, geralmente obsessores da mais ínfima espécie, cuja mente não possui vibrações à altura de efetuar a admirável "operação plástica" requerida. Por isso mesmo, a aparência destes últimos costuma ser chocante para o vidente, pela fealdade, ou simplesmente pela miséria, pois se apresentam cobertos de andrajos e farrapos, como que empapados de lama, ou embuçados em longos sudários negros, com mantos ou capas que lhes envolvem os ombros, e, não raro, mascarados por um saco negro enfiado na cabeça, com duas aberturas à altura dos olhos. [...] Longos chapéus costumam trazer também, assim como botas de canos altos. [...][407] (grifo no original).

Os Espíritos superiores, ao contrário, apresentam-se aureolados de luminosidade safirina. Suas vestes são brilhantes, vaporosas, resplandecentes. É o caso de Matilde, citado no livro *Libertação*, de André Luiz, e de Bittencourt Sampaio, registrado no livro *Voltei*, do Irmão Jacob, ambos psicografados por Francisco Cândido Xavier, publicados pela FEB.[408]

---

406 KARDEC, Allan. *O livro dos médiuns*. Segunda parte, cap. VIII, it .126, p. 135, 2013.
407 PEREIRA, Yvonne do Amaral. *Devassando o invisível*. Cap. II, p. 44-45, 2012.
408 Nota da organizadora: Vide no livro *Libertação*, cap. 20, p. 325; e em *Voltei*, cap. 15, p. 130-131 e cap. 16, p.133.

ATIVIDADE PRÁTICA 2: HARMONIZAÇÃO E PERCEPÇÃO ESPIRITUAIS (2)

Objetivos do exercício

> Imaginar como poderia ser a própria existência no plano espiritual, se a desencarnação ocorresse agora, no momento presente.

> Destacar a importância de elaborar e pôr em prática um plano de harmonização espiritual, visando a futura desencarnação e a vida na erraticidade, no plano espiritual.

Sugestões ao monitor

1. Pedir aos participantes que formem um círculo e escrevam em uma folha de papel, previamente distribuída, um pseudônimo no canto superior direito, o qual será utilizado como identificação particular, desconhecida dos colegas.

2. Em seguida, orientá-los a completar, de forma objetiva, esta frase: *"Se eu desencarnasse agora, a minha vida na erraticidade seria assim..."*

    Observações:
    - O tempo disponível para o registro é de, no máximo, um minuto. Concluído o tempo, passar imediatamente a folha de papel para o colega sentado à direita, ainda que o participante não tenha conseguido executar a tarefa.
    - Continuar com o rodízio até que cada participante receba, de volta, a própria folha de papel, na qual consta o seu pseudônimo.

3. Solicitar, então, que cada um faça leitura, em voz alta, das condições definidas pelos colegas para a sua própria erraticidade, caso a desencarnação acontecesse atualmente.

4. Realizar breve avaliação dos registros, propondo à turma a escolha da melhor programação. Em seguida, destacar a importância de estarmos preparados para a desencarnação, seguindo um plano de harmonização espiritual, desenvolvido ao longo da existência, a fim de retornar ao mundo espiritual em melhores condições.

5. Pedir a um dos integrantes que profira breve prece de encerramento da reunião.

REFERÊNCIAS

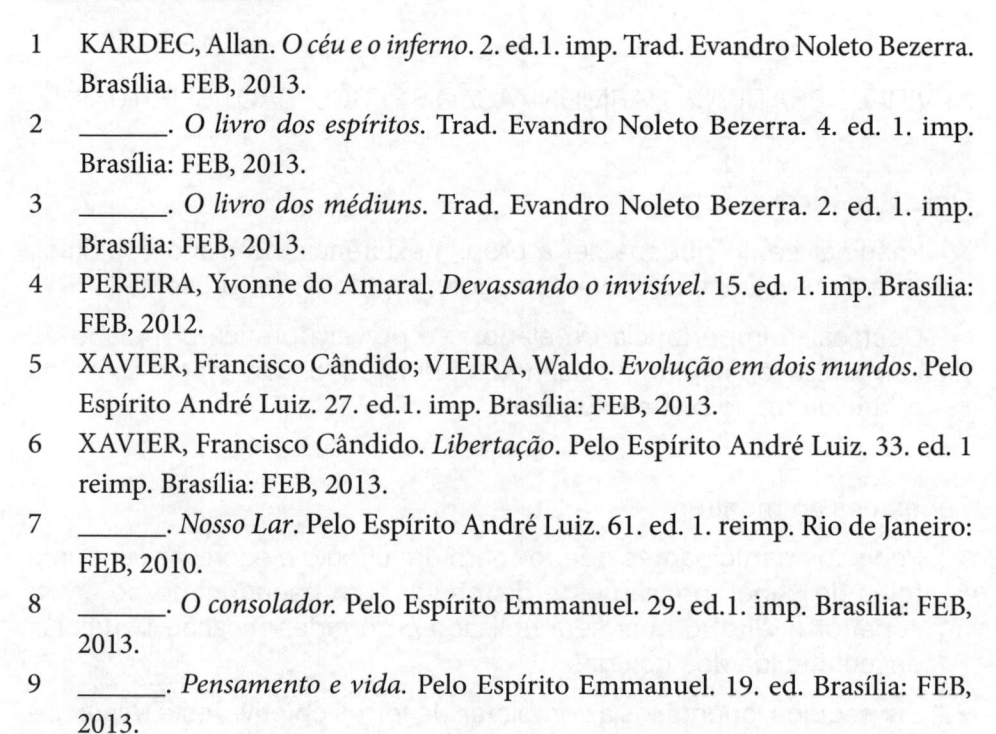

1. KARDEC, Allan. *O céu e o inferno*. 2. ed.1. imp. Trad. Evandro Noleto Bezerra. Brasília. FEB, 2013.
2. _____. *O livro dos espíritos*. Trad. Evandro Noleto Bezerra. 4. ed. 1. imp. Brasília: FEB, 2013.
3. _____. *O livro dos médiuns*. Trad. Evandro Noleto Bezerra. 2. ed. 1. imp. Brasília: FEB, 2013.
4. PEREIRA, Yvonne do Amaral. *Devassando o invisível*. 15. ed. 1. imp. Brasília: FEB, 2012.
5. XAVIER, Francisco Cândido; VIEIRA, Waldo. *Evolução em dois mundos*. Pelo Espírito André Luiz. 27. ed.1. imp. Brasília: FEB, 2013.
6. XAVIER, Francisco Cândido. *Libertação*. Pelo Espírito André Luiz. 33. ed. 1 reimp. Brasília: FEB, 2013.
7. _____. *Nosso Lar*. Pelo Espírito André Luiz. 61. ed. 1. reimp. Rio de Janeiro: FEB, 2010.
8. _____. *O consolador*. Pelo Espírito Emmanuel. 29. ed.1. imp. Brasília: FEB, 2013.
9. _____. *Pensamento e vida*. Pelo Espírito Emmanuel. 19. ed. Brasília: FEB, 2013.
10. _____. *Voltei*. Pelo Espírito Irmão Jacob. 28. ed. 7. imp. Brasília: FEB, 2013.

AS COMUNIDADES DO PLANO EXTRAFÍSICO

Com a morte do corpo físico o Espírito passa a viver em outra dimensão da vida, associando-se aos que lhe são afins, em estado de felicidade ou de infelicidade, uma vez que cada "[...] consciência vive e evolve entre os próprios reflexos",[409] como consequência dos atos cometidos na existência que ora finda. Emmanuel acrescenta igualmente:

> O reino da vida além da morte não é domicílio do milagre.
>
> Passa o corpo, [...] entretanto, a alma continua na posição evolutiva em que se encontra.
>
> Cada inteligência apenas consegue alcançar a periferia do círculo de valores e imagens dos quais se faz o centro gerador.
>
> Ninguém pode viver em situação que ainda não concebe.
>
> Dentro da nossa capacidade de autoprojeção, erguem-se os nossos limites.
>
> Em suma, cada ser apenas atinge a vida até onde possa chegar a onda do pensamento que lhe é próprio.
>
> [...]
>
> A residência da alma permanece situada no manancial de seus próprios pensamentos.
>
> Estamos naturalmente ligados às nossas criações.
>
> [...]
>
> Atravessando o grande umbral do túmulo, o homem deseducado prossegue reclamando aprimoramento.[410]

---

409 XAVIER, Francisco Cândido. *Justiça divina*. Cap. "Perdoados mas não limpos", p.112, 2013.
410 Id. *Roteiro*. Cap. 29, p. 121-122, 2012

1 CARACTERÍSTICAS GERAIS DAS COMUNIDADES ESPIRITUAIS

As doutrinas materialistas negam a possibilidade da vida após a morte do corpo. Até mesmo para algumas escolas espiritualistas o assunto é considerado de forma bastante confusa, sem muita lógica.

> Em todos os tempos o homem se preocupou com o seu futuro de além-túmulo, e isso é muito natural. Seja qual for a importância que ele ligue à vida presente, não pode deixar de considerar quanto essa vida é curta e, sobretudo, precária, pois pode ser interrompida a qualquer instante, nunca se achando ele seguro quanto ao dia seguinte. Que será dele após o instante fatal? [...]
>
> A ideia do nada tem qualquer coisa que repugna à razão. Por mais despreocupado que seja o homem nesta vida, chegando o momento supremo pergunta a si mesmo o que vai ser dele e, involuntariamente, espera.[411]

Outro ponto, não menos importante, diz respeito à preservação da individualidade após a morte. Indaga Kardec, a respeito: "[...] Com efeito, de que nos adiantaria sobreviver ao corpo, se a nossa essência moral devesse perder-se no oceano do infinito? As consequências para nós seriam as mesmas dos que defendem o nada."[412] Admitindo-se, portanto, a ideia da existência, sobrevivência e individualidade da alma, a Doutrina Espírita ensina também:

> [...] 1º, que a sua natureza é diferente da do corpo, visto que, separada deste, deixa de ter as propriedades peculiares ao corpo; 2º, que goza da consciência de si mesma, pois é passível de alegria ou sofrimento, sem o que seria um ser inerte e de nada nos valeria possuí-la. Isto posto, tem-se que admitir que essa alma vai para alguma parte. Que vem a ser feito dela e para onde vai?[413]

A resposta à pergunta do Codificador é facilmente obtida nas comunicações mediúnicas usuais na Casa Espírita, que demonstram, entre outros: a sobrevivência e a individualidade dos Espíritos; as condições, boas ou más, em que esses se encontram, decorrentes do uso do livre-arbítrio quando encarnados; e detalhes a respeito da vida no plano espiritual, assim resumidas:

- O mundo espiritual comporta várias regiões (esferas vibratórias, no dizer do Espírito André Luiz), compostas de níveis ou planos evolutivos, nos quais os Espíritos se agrupam em cidades de

---

411 KARDEC, Allan. *O livro dos espíritos*. Q. 959-comentário, p. 417-418., 2013
412 Id. Ibid. p. 418, 2013.
413 Id. *O livro dos médiuns*. Primeira parte, cap 1. it. 2, p. 15-16, 2013.

pequeno, médio ou grande porte, genericamente denominadas *colônias espirituais*.

- As comunidades espirituais do plano extrafísico são constituídas de Espíritos que apresentam semelhanças de aptidões/gostos: as relações entre eles estabelecem a existência de "[...] diferentes ordens, conforme o grau de perfeição a que chegaram".[414] Assim, as regras da vida em sociedade são estabelecidas de acordo com o grau de moralidade e de conhecimento dos seus habitantes.

- "[...] Os Espíritos têm, uns sobre os outros, uma autoridade relativa à sua superioridade, autoridade que eles exercem por um ascendente moral irresistível."[415]

- Entre os Espíritos superiores essa ascendência moral é natural, sempre de natureza benéfica, de respeito ao livre-arbítrio de cada um.

- Tais condições não se observam, porém, entre os Espíritos inferiores, que usam da inteligência ou da imposição da vontade para serem ouvidos ou, em certas circunstâncias, para subjugarem, ignorando que toda a "[...] sujeição absoluta de um homem a outro homem é contrária à Lei de Deus. A escravidão é um abuso da força e desaparecerá com o progresso, como desaparecerão pouco a pouco todos os abusos."[416]

As comunidades espirituais podem, a rigor, ser classificadas em três grandes categorias, segundo as condições espirituais dos seus habitantes e as características do ambiente onde se encontram inseridas: *Comunidades de sofrimento e dor*; *o Umbral*; e as Comunidades *devotadas ao bem*.

2 COMUNIDADES ESPIRITUAIS DE SOFRIMENTO E DOR

São constituídas, em princípio, por dois grupos distintos de Espíritos: a) os que, a rigor, são qualificados de sofredores, ainda que não se deem conta da situação. Revelam expressiva inferioridade moral, percebida nas expressões fisionômicas, nos gestos, palavras e atos. Integram as chamadas *comunidades abismais* ou *de sombras*; b) os que são

---

414 KARDEC, Allan. *O livro dos espíritos*. Q. 96, p. 88.
415 Id. Ibid. Q. 274, p. 171.
416 Id. ibid. Q. 829, p. 358.

portadores de diferentes viciações, porém não tão superlativas quanto os anteriores. Formam um vasto e heterogêneo grupo que compõe as comunidades do Umbral. As características gerais de ambos podem ser assim delineadas:

- Predomínio de paixões inferiores. Há ações maldosas, brigas, intrigas, desarmonias variadas e perturbações generalizadas.

- Ociosidade e preguiça são comuns. Muitos habitantes se comprazem em subjugar o próximo, instituindo trabalho escravo ou imposição autoritária da vontade, fato que conduz a processos obsessivos.

- Os obsessores e dominadores mantêm controle mental sobre aqueles a quem subjugam, pelos recursos da hipnose e das chantagens emocionais.

- Uso de palavras articuladas na comunicação interpessoal, de forma semelhante à utilizada no plano físico.

- Volitação restrita, quase inexistente e, quando ocorre, não há deslocamentos significativos, permanecendo nas proximidades do solo. O comum é o uso das pernas e dos pés.

- O acesso às regiões mais elevadas está temporariamente interditado, em razão das limitadas condições vibratórias desses habitantes.

- A natureza não revela beleza: há predomínio de cores fortes e sombrias. Uma espécie de névoa envolve a região. As árvores e os animais são estranhos, diferentes, feios, sem viço. O relevo apresenta aridez e aspereza, sendo que o solo é desprovido de verdor. Não se encontram paisagens harmônicas. Há muitos vales, permeados de cavernas, grutas, abismos e pântanos.

- As cidades possuem edificações bizarras, com predominância de tons berrantes. As músicas exóticas e irritantes são usuais.

- Tais comunidades exercem influência direta e contínua sobre os encarnados.

3 O UMBRAL

Trata-se de zona obscura que se inicia na crosta terrestre, espécie de região purgatorial, caracterizada por grandes perturbações decorrentes da presença de compactas legiões de almas irresolutas, ignorantes e desesperadas, em graus variáveis.[417]

> O Umbral é região de profundo interesse para quem esteja na Terra. Concentra-se, aí, tudo que não tem finalidade para a vida superior [...]. Há legiões compactas de almas irresolutas e ignorantes, que não são suficientemente perversas para serem enviadas a colônias de reparação mais dolorosa, nem bastante nobres para serem conduzidas a planos de elevação. Representam fileiras de habitantes do Umbral, companheiros imediatos dos homens encarnados, separados deles apenas por leis vibratórias. Não é de estranhar, portanto, que semelhantes lugares se caracterizem por grandes perturbações. Lá vivem, agrupam-se, os revoltados de toda espécie. Formam, igualmente, núcleos invisíveis de notável poder, pela concentração das tendências e desejos gerais. [...] Pois o Umbral está repleto de desesperados. [...] É zona de verdugos e vítimas, de exploradores e de explorados.[418]

Apesar da desolação e da desarmonia reinantes, as comunidades constituídas de Espíritos sofredores e desarmonizados não se encontram abandonadas. Devotados benfeitores, alguns de alta hierarquia espiritual, ali se encontram em periódicas visitas de auxílio e amparo. Muitos desses benfeitores encontram-se, inclusive, instalados em plenas regiões abismais e umbralinas, em edificações denominadas *núcleos ou postos de auxílio*, realizando trabalho sacrificial de amor ao próximo.

4 COMUNIDADES DEVOTADAS AO BEM

As sociedades beneméritas do Além são constituídas de grupos de Espíritos ligados entre si por simpatias mútuas ou por interesses comuns. Os seus habitantes apresentem gradação de conhecimento e de moralidade, mas todos demonstram necessidade de auxiliar o próximo, sentimento manifestado, de forma inequívoca, nos estudos, trabalhos e inúmeras atividades que realizam.

Tais comunidades estão, usualmente, localizadas em planos elevados, ou em regiões de transição/fronteira, situadas acima do umbral e dos abismos. Contudo, acham-se espalhadas por todos os locais de sofrimento e dor, nos agrupamentos denominados *Postos de Auxílio*, ali executando atividades de esclarecimento e orientação aos trabalhadores locais e prestando auxílio direto aos Espíritos sofredores. Nessas comunidades benfeitoras as regras

---

417 Nota da organizadora: Sugestão de leitura — XAVIER, Francisco Cândido. *Nosso Lar*, cap. 12.
418 XAVIER, Francisco Cândido. *Nosso Lar*. Cap. 12, p. 83-84, 2010.

da administração tem como base a natural ascendência intelecto-moral dos seus dirigentes. Outras características podem ser assim especificadas:

- Labor intenso em todos os setores.
- Os habitantes têm livre trânsito nas comunidades similares e nas esferas inferiores. Em decorrência do grau de evolução, moral e intelectual, alguns trabalhadores são levados periodicamente a visitar regiões elevadas, para estágios de aprendizado.
- A volitação é locomoção comum, mas também utilizam outros meios de transporte, terrestre e aéreo, operados por máquinas. Mas, se assim preferirem, nada os impede de caminharem com auxílio das pernas e dos pés.
- A comunicação é realizada por via mental ou pela palavra articulada.
- As edificações públicas e particulares primam pelo bom gosto, simplicidade e utilidade. Há escolas, ministérios e outros órgãos públicos, centros de estudos e pesquisa, bibliotecas, templos religiosos, setores de lazer e recreação, torres, hospitais, setores de recuperação ou de reequilíbrio, etc.
- A natureza é rica e bela, contendo colorido e luminosidade próprios, que causa admiração.
- Há rios, lagos, oceanos, cascatas d'água, montanhas, campos, planícies, planaltos, florestas, bosques, etc. A vegetação, árvores, flores, arbustos etc., retratam o harmonioso equilíbrio mental dos seus habitantes.
- Há animais que compartilham a companhia dos humanos, sendo por estes estimados, havendo alguns que participam de tarefas beneméritas quais sejam: resgate, vigilância, etc.
- A influência espiritual aos encarnados e desencarnados é indireta, respeitando-se, necessariamente, o livre-arbítrio de cada um.

ATIVIDADE PRÁTICA 3: PERCEPÇÃO ESPIRITUAL — A DIVERSIDADE DOS SERES HUMANOS

Objetivo do exercício

> Realizar o exercício de percepção psíquica em clima descontraído e harmônico.

Sugestões ao monitor

1. Entregar aos participantes, organizados em pequenos grupos, recortes de revistas e jornais, contendo gravuras variadas que representam os seres humanos, de diferentes idades, tipos e condições.

2. Pedir-lhes que identifiquem, nos recortes e nas gravuras, atributos raciais e culturais das pessoas retratadas.

3. Em seguida, solicitar-lhes que selecionem apenas uma imagem/figura, que deve ser observada atentamente, procurando localizar "pistas" que indiquem sentimentos ou emoções retratados. Por exemplo, de tristeza, alegria, raiva, harmonia, inteligência e outros.

4. Informar que cada grupo, ao final, deve indicar um relator para apresentar as conclusões, em plenária.

5. Promover um debate com base nos relatos apresentados e nas percepções descritas decorrentes da observação das figuras.

6. Antes da prece de encerramento da reunião, destacar: a importância da diversidade das características humanas; a necessidade de fugir de estereótipos culturais e, sobretudo, a urgência em combater qualquer tipo de preconceito: social, cultural, econômico, de classe, de cor, etc.

REFERÊNCIAS

1 KARDEC, Allan. *O livro dos espíritos*. Trad. Evandro Noleto Bezerra. 4. ed. 1. imp. Brasília: FEB, 2013.

2 _____. *O livro dos médiuns*. Trad. Evandro Noleto Bezerra. 2. ed. 1. imp. Brasília: FEB, 2013.

3 PEREIRA, Yvonne do Amaral. *Memórias de um suicida*. Pelo Espírito Camilo Cândido Botelho. 27. ed. 2. imp. Brasília: FEB. 2013.

4 XAVIER, Francisco Cândido. *Justiça divina*. Pelo Espírito Emmanuel. 14. ed. 3. imp. Brasília: FEB, 2013.

5 _____. *Nosso Lar*. Pelo Espírito André Luiz. 61. ed. 1. reimp. Rio de Janeiro: FEB, 2010.

6 _____. *Roteiro*. Pelo Espírito Emmanuel. 14. ed. 1. imp. Brasília: FEB, 2012.

PROGRAMA I – MÓDULO IV – TEMA 4

EXEMPLOS DE COMUNIDADES ESPIRITUAIS (1)

Vimos, no tema anterior (*As comunidades do plano extrafísico*), as principais características das sociedades encontradas no mundo espiritual que, embora apresentem certa similitude, são distintas entre si, como assinala o enfermeiro Lísias da Colônia *Nosso Lar*, um dos primeiros amigos de André Luiz no mundo espiritual:

> Se nas esferas materiais, cada região e cada estabelecimento revelam traços peculiares, imagine a multiplicidade de condições em nossos planos. Aqui, tal como na Terra, as criaturas se identificam pelas fontes comuns de origem e pela grandeza dos fins que devem atingir; mas importa considerar que cada colônia, como cada entidade, permanece em degraus diferentes na grande ascensão. [...][419]

No estudo atual, são citados em seguida alguns exemplos de comunidades espirituais, com o intuito de fornecer visão panorâmica e ilustrativa da realidade extrafísica que, cedo ou tarde, todos nós iremos habitar.

1 COMUNIDADES ABISMAIS

São as comunidades que integram regiões denominadas trevas ou abismos, marcadas por grandes padecimentos em decorrência das viciações e/ou atraso moral dos habitantes que, temporariamente, ali se encontram.

1.1 O Vale dos Suicidas[420]

- *Habitantes*: suicidas de diferentes categorias.
- *Características ambientais*: há luminosidade solar escassa porque a luz é filtrada por névoa densa permanente; vegetação sinistra,

---

419 Francisco Cândido Xavier. *Nosso Lar*. Cap. 11, p. 76, 2010.
420 Nota da organizadora: Sugestão de leitura — PEREIRA, Yvonne do Amaral. *Memórias de um suicida*. FEB.

seca, contorcida; as árvores possuem pouca folhagem; presença de muitas plantas exóticas, como descreve um suicida que ali viveu:

> [...] fora eu surpreendido com meu aprisionamento em região do Mundo invisível cujo desolador panorama era composto por vales profundos, a que as sombras presidiam: gargantas sinuosas e cavernas sinistras, no interior das quais uivavam, quais maltas de demônios enfurecidos, Espíritos que foram homens, dementados pela intensidade e estranheza, verdadeiramente inconcebíveis, dos sofrimentos que os martirizavam.
>
> Nessa paragem aflitiva a vista torturada do grilheta não distinguiria sequer o doce vulto de um arvoredo que testemunhasse suas horas de desesperação.
>
> [...]
>
> O solo, coberto de matérias enegrecidas e fétidas, lembrando a fuligem, era imundo, pastoso, escorregadio, repugnante! O ar pesadíssimo, asfixiante, gelado [...].[421]

- *Condições espirituais dos habitantes:* ecoam no ambiente muitos gemidos, súplicas e choros humanos. O desespero, a dor profunda, a mágoa e o remorso são sentimentos dominantes, expressos neste sofrido relato de um ex-suicida:

> [...] Quem ali temporariamente estaciona, como eu estacionei, são grandes vultos do crime! É a escória do mundo espiritual — falanges de suicidas que periodicamente para seus canais afluem levadas pelo turbilhão das desgraças em que se enredaram, a se despojarem das forças vitais que se encontram, geralmente intactas [...].[422]

1.2 Uma cidade estranha[423]

- *Habitantes:* Espíritos vinculados à prática do mal, de variada expressão.
- *Características ambientais:* reflete vasto domínio das sombras, com baixíssima luminosidade solar, revelando escuridão completa em certos locais; há uma espécie de "fumo cinzento" que envolve permanentemente a região; praticamente não há volitação, mas esta não se revela de todo impossível, pois alguns habitantes, mais intelectualizados, dominam a técnica. Contudo, apenas realizam voos rasantes, muito próximos ao solo; a vegetação tem aspecto

---

421 PEREIRA, Yvonne do Amaral. *Memórias de um suicida.* Primeira parte, cap. "O vale dos suicidas", p. 17.
422 Id. Ibid., p. 19, 2013.
423 Nota da organizadora: Sugestão de leitura — XAVIER, Francisco Cândido. *Libertação.* Cap. 4.

sinistro; há árvores, mas com pouca ou nenhuma folhagem, e os poucos galhos são ressecados; detecta-se a presença de "aves agoureiras" (corvos), enormes, lembrando figuras monstruosas, etc.

- *Condições espirituais dos habitantes:* Gregório, o nome do governador da cidade, à época da visita de André Luiz e companheiros, era "[...] um sátrapa de inqualificável impiedade, que aliciou para si próprio o pomposo título de Grande Juiz, assistido por assessores políticos e religiosos, tão frios e perversos quanto ele mesmo..."[424] André Luiz recorda ainda que o "[...] que mais contristava, porém, não era o quadro desolador, [...] e, sim, os apelos cortantes que provinham dos charcos. Gemidos tipicamente humanos eram pronunciados em todos os tons."[425]

O orientador Gúbio, líder do grupo em visita socorrista nessa região abismal, também informa:

> [...] Quase todas as almas humanas, situadas nestas furnas, sugam as energias dos encarnados e lhes vampirizam a vida, qual se fossem lampreias insaciáveis no oceano de oxigênio terrestre. Suspiram pelo retorno ao corpo físico, de vez que não aperfeiçoaram a mente para a ascensão, e perseguem as emoções do campo carnal com o desvario dos sedentos no deserto. Quais fetos adiantados absorvendo as energias do seio materno, consomem altas reservas de força dos seres encarnados que as acalentam, desprevenidos de conhecimento superior. Daí, esse desespero com que defendem no mundo os poderes da inércia e essa aversão com que interpretam qualquer progresso espiritual ou qualquer avanço do homem na montanha de santificação. No fundo, as bases econômicas de toda essa gente residem, ainda, na esfera dos homens comuns e, por isto, preservam, apaixonadamente, o sistema de furto psíquico, dentro do qual se sustentam, junto às comunidades da Terra.[426]

2 COMUNIDADES DO UMBRAL

- *Habitantes:* podem ser classificados em dois grandes grupos: a) Espíritos ainda presos às paixões e às sensações da vida material; b) Espíritos benfeitores, que se encontram nos Postos *de Auxílio*, em missão de socorro e esclarecimento.

- *Características ambientais:* o Espírito Lísias, personagem de *Nosso Lar*, informa que o Umbral "[...] começa na crosta terrestre. É a

---

424 XAVIER, Francisco Cândido. *Libertação*. Cap. 4, p. 57-58.
425 Id. Ibid., p. 54.
426 Id. Ibid., p. 75-76, 2013.

zona obscura de quantos no mundo não resolveram a atravessar as portas dos deveres sagrados, a fim de cumpri-los, demorando-se no vale da indecisão ou no pântano dos erros numerosos. [...]"[427]

Temos notícias de que nas regiões inferiores do Umbral, aquelas que se encontram mais próximas da crosta terrestre, os Espíritos sofredores que habitam a região revelam uma característica comum: estão sempre com fome e sede e se apresentam vestidos de andrajos.[428] Persistem outras necessidades fisiológicas, semelhantes às comuns aos encarnados. A paisagem é normalmente úmida e escura.[429] Há pouca água e vegetação no ambiente. Ocasionalmente transitam na região bandos de seres humanos de aparência animalesca.[430]

- *Condições espirituais dos habitantes*: André Luiz esclarece que, devidas as condições reinantes, o Umbral funciona "[...] como região destinada ao esgotamento de resíduos mentais; uma espécie de zona purgatorial, onde se queima a prestações o material deteriorado das ilusões que a criatura adquiriu por atacado, menosprezando o sublime ensejo de uma existência terrena."[431]

3 COMUNIDADES DEVOTADAS AO BEM NAS REGIÕES DE SOFRIMENTO

3.1 Casa Transitória de Fabiano

Trata-se de um *Posto de Auxílio* móvel situado em plenas regiões umbralinas, que pode se deslocar na atmosfera quando se faz necessário. É importante instituição piedosa de socorro a Espíritos que carregam o peso de amargos e dolorosos sofrimentos, recém-desencarnados, ou não. André Luiz informa que a instituição "[...] fora fundada por Fabiano de Cristo, devotado servo da caridade entre antigos religiosos do Rio de Janeiro, desencarnado há muitos anos. [...]"[432]

---

427 XAVIER, Francisco Cândido. *Nosso Lar*. Cap. 12, p. 81-82, 2010
428 Id. Ibid. Cap. 2, p. 21.
429 XAVIER, Francisco Cândido. *Nosso Lar*, p. 23.
430 Id. Ibid., p. 23.
431 Id. Ibid., cap. 12, p.83.
432 Id. *Obreiros da vida eterna*. Cap. 4, p. 63.

Devido à sua localização, em região mais inferior do Umbral, contém um sistema de segurança especial, constituído de defesas contra invasões e ataques. Entre estas destacam as defesas magnéticas e os pontos de vigilância humana — que contam com a assistência de numerosos servidores e de bondosos amigos, que ali trabalham dia e noite.

> [...] Todavia, o trabalho desta Casa é dos mais dignos e edificantes. Neste edifício de benemerência cristã, centralizam-se numerosas expedições de irmãos leais ao bem, que se dirigem à Crosta Planetária ou às esferas escuras, onde se debatem na dor seres angustiados e ignorantes, em trânsito prolongado nos abismos tenebrosos. [...][433]

3.2 Colônia correcional

Trata-se de uma obra assistencial constituída pela *Legião dos Servos de Maria*, voltada para o atendimento aos suicidas e firmemente orientada pelos ensinos e vivências do Evangelho de Jesus. Os seus dirigentes e servidores agem em nome de Maria de Nazaré, sua mentora e orientadora maior.

A instituição é cercada por uma sólida fortaleza, composta de um conjunto de muralhas fortificadas, encravadas em regiões abismais, conforme descrito por Camilo Cândido Botelho:

> Era uma região triste e desolada, envolvida em neblinas como se toda a paisagem fora recoberta pelo sudário de continuadas nevadas, conquanto oferecendo possibilidades de visão. Não se distinguia, inicialmente, vegetação nem sinais de habitantes pelos arredores da fortaleza imensa. Apenas longas planícies brancas, colinas salpicando a vastidão, assemelhando-se a montículos acumulados pela neve. [...][434]

Não devemos perder a esperança no que diz respeito ao poder do Bem que, aos poucos irá modificar as expressões de dor e sofrimento que ainda pulsam no Planeta, em ambos os planos vibratórios da vida. Allan Kardec, a propósito, esclarece como o bem estabelecerá o seu reinado na Terra: "O progresso da humanidade tem seu princípio na aplicação da lei de justiça, amor e caridade [...]. Dessa lei derivam todas as outras, porque ela encerra todas as condições da felicidade do homem. Só ela pode curar as chagas da sociedade. [...]" [435]

---

433 XAVIER, Francisco Cândido. *Obreiros da vida eterna*. Cap. 4, p. 65.
434 PEREIRA, Yvonne do Amaral. *Memórias de um suicida*. Primeira parte, cap. "No hospital 'Maria de Nazaré'", p. 51, 2013.
435 KARDEC, Allan. *O livro dos espíritos*. "Conclusão IV", p. 450, 2013.

ATIVIDADE PRÁTICA 4: PERCEPÇÃO ESPIRITUAL — IDENTIFICANDO EMOÇÕES E SENTIMENTOS

Objetivos do exercício

> Identificar condições que dificultam a manutenção da harmonia interior.

> Analisar o impacto das emoções e dos sentimentos nas percepções espirituais.

Sugestões ao monitor

1. Propor aos participantes a realização do exercício definido neste roteiro:

    • Formação de pequenos grupos. Cada grupo deve responder até duas perguntas da relação inserida a seguir.

    • Indicação de um relator para apresentar as conclusões do grupo, em plenária.

2. Ouvir os relatos de cada grupo, comentando-os brevemente.

3. Destacar a importância do autocontrole ante as circunstâncias de tensão emocional e a necessidade de trabalhar os bons sentimentos, a fim de perceber adequadamente as boas influências espirituais.

4. Ao final, pedir a um dos participantes para proferir a prece de encerramento da reunião.

EU PERGUNTO. VOCÊ RESPONDE...

1. Como reagir a uma pessoa que perdeu a calma ou se revela impaciente? Justifique a resposta.
2. Qual a melhor forma de agir perante situações de grande tensão ou estresse? Por quê?
3. Que tipo de circunstâncias pode conduzir alguém ao estado denominado "fora de si"? Explique a resposta.
4. Por que o medo é mau conselheiro? Que fazer para evitá-lo?
5. O que você propõe para estimular o cultivo da esperança (ou da perseverança, da fé, da gratidão, etc.)?
6. Que tipo de preocupação faz você perde o sono? Justifique.
7. A quem você consegue expressar, sem temores, os seus sentimentos? Por quê?
8. Você tem dificuldade em dizer não? Justifique a resposta.
9. Como você reage às críticas?
10. Você sabe ouvir as pessoas? Esclareça.

REFERÊNCIAS

1 KARDEC, Allan. *O livro dos espíritos*. Trad. Evandro Noleto Bezerra. 4. ed. 1. imp. Brasília: FEB, 2013.

2 PEREIRA, Yvonne do Amaral. *Memórias de um suicida*. Pelo Espírito Camilo Cândido Botelho. 27. ed. 2. imp. Brasília: FEB, 2013.

3 XAVIER, Francisco Cândido. *Libertação*. Pelo Espírito André Luiz. 33. ed. 1. imp. Brasília: FEB, 2011.

4 _____. *Nosso Lar*. Pelo Espírito André Luiz. 61. ed. 1. reimp. Rio de Janeiro: FEB, 2010.

5 _____. *Obreiros da vida eterna*. Pelo Espírito André Luiz 35. ed. 1. imp. FEB, 2013.

PROGRAMA I – MÓDULO IV – TEMA 5

EXEMPLOS DE COMUNIDADES ESPIRITUAIS (2)

Na literatura espírita encontramos relatos da existência de comunidades espirituais devotadas ao bem, cujos exemplos e esforços perseverantes dos seus habitantes inspiram encarnados e desencarnados ao progresso, promovendo a renovação moral da moradia terrestre. Estas organizações estão localizadas em regiões mais adiantadas do mundo espiritual. Contudo, se fazem representar nas regiões de sombras e de dor, constituindo os *Postos de Auxílio*, citados anteriormente, os quais representam verdadeiros oásis de paz e bom ânimo para o viajor desafortunado e perdido que por ali transita.

1 COMUNIDADES DE TRANSIÇÃO

1.1 Nosso Lar

Nas comunidades de *transição* — assim denominadas por estarem situadas acima do Umbral e abaixo das regiões superiores — há maior homogeneidade evolutiva dos habitantes, que revelam melhoria moral e intelectual. Um exemplo, já bastante conhecido no meio espírita é a colônia *Nosso Lar*.

A localização geográfica de *Nosso Lar* reflete belezas e harmonias da natureza, cuja visão panorâmica da cidade é assim expressa por André Luiz:

> [...] Vastas avenidas, enfeitadas de árvores frondosas. Ar puro, atmosfera de profunda tranquilidade espiritual. Não havia, porém, qualquer sinal de inércia ou de ociosidade, porque as vias públicas estavam repletas. Entidades numerosas iam e vinham. [...][436]

Prosseguindo em suas observações, o Espírito orientador acrescenta:

> [Há] um bosque, em floração maravilhosa, que embalsamava o vento fresco de inebriante perfume. Tudo em prodígio de cores e luzes cariciosas. Entre

---

[436] XAVIER, Francisco Cândido. *Nosso Lar*. Cap. 8, p. 57, 2010.

margens bordadas de grama viçosa, toda esmaltada de azulíneas flores, deslizava um rio de grandes proporções. [...] Estradas largas cortavam a verdura da paisagem. Plantadas a espaços regulares, árvores frondosas ofereciam sombra amiga [...].[437]

Nosso Lar apresenta também outras características:

- "[...] A Colônia, que é essencialmente de trabalho e realização, divide-se em seis Ministérios, orientados, cada qual, por doze ministros. [...]"[438]

- Em determinado momento da história de *Nosso Lar*, "[...] a pedido do Governadoria, vieram duzentos instrutores de uma esfera muito elevada, a fim de espalharem novos conhecimentos, relativos à ciência da respiração e da absorção de princípios vitais da atmosfera."[439]

- Quanto à alimentação, "[...] só existe maior suprimento de substâncias alimentícias que lembram a Terra nos Ministérios da Regeneração e do Auxílio, onde há sempre grande número de necessitados. Nos demais há somente o indispensável [...]"[440]

- Vinculados a cada ministério, existem edifícios de trabalho e unidades residenciais para os seus obreiros, nas quais vivem Espíritos que prestam serviço à Colônia, e também os que recebem auxílio. Da mesma forma, há instituições e abrigos, ligados à área de atuação de cada ministério.[441]

1.2 Cidade de Castrel

No livro mediúnico *A vida além do véu*, transmitido por vários Espíritos, pela mediunidade do reverendo inglês G. Vale Owen, em 1920, publicado pela FEB Editora, consta informações a respeito de uma colônia espiritual denominada *Cidade de Castrel*, organizada para atender a Espíritos desencarnados na infância e preparar outros para a reencarnação.

---

437 XAVIER, Francisco Cândido. *Nosso Lar*, cap. 10, p. 70.
438 Id. Ibid. Cap. 8, p. 58.
439 Id. Ibid., Cap. 9, p. 64.
440 Id. Ibid., p. 67.
441 Nota da organizadora: Sugestão de leitura — XAVIER, Francisco Cândido. *Nosso Lar*. Cap. 8.

1.3 Lar da Bênção

Trata-se de "[...] importante Colônia educativa, misto de escola de mães e domicílio dos pequeninos que regressam da esfera carnal."[442] A Colônia, situada no espaço espiritual das terras brasileiras, tem como objetivo preparar mães para a maternidade responsável, atender Espíritos que desencarnam na infância e auxiliar outros para a reencanação.

As crianças desencarnadas recebem abençoada assistência superior — desde os primeiros momentos da liberação física até alcançarem o reequilíbrio espiritual —, de benfeitores espirituais do *Lar da Bênção* e do afeto inesquecível daquelas que foram suas genitoras, as quais, ainda presas aos liames da carne, são, durante o sono físico, levadas à Colônia para auxiliar e acompanhar o reajustamento dos filhos na vida espiritual.[443]

2 POSTOS DE AUXÍLIO

Os trabalhadores dos *Postos de Auxílio* recebem a devida capacitação, orientações e cuidados da Colônia Espiritual a que se encontram vinculados, a fim de exercerem com proveito as tarefas sacrificiais a que se submetem. Importa destacar, contudo, que, além dessa vinculação, os trabalhadores mantêm relações fraternas de assistência espiritual e de intercâmbio mediúnico corriqueiro com uma ou mais casas espíritas, sediadas no plano físico.

2.1 Mansão Paz

Instituição de reajuste espiritual mantida pela colônia *Nosso Lar*, é assim citada pelo Espírito André Luiz:

> O estabelecimento, situado nas regiões inferiores, era bem uma espécie de "mosteiro São Bernardo", em zona castigada por natureza hostil, com a diferença de que a neve, quase constante em torno do célebre convento encravado nos desfiladeiros entre a Suíça e a Itália, era ali substituída pela sombra espessa, que [...] se adensava, movimentada e terrível, ao redor da instituição, como que se tocada por ventania incessante. O pouso acolhedor, que permanece sob a jurisdição de "Nosso Lar", está fundado há mais de três séculos, dedicando-se a receber Espíritos infelizes ou enfermos, decididos a trabalhar pela própria regeneração, criaturas essas que se elevam a colônias de aprimoramento na

---

442 XAVIER, Francisco Cândido. *Entre a Terra e o Céu*. Cap. 9, p. 61, 2013.
443 Nota da organizadora: Sugestão de leitura — XAVIER, Francisco Cândido. *Entre a Terra e o Céu*. Cap. 9 ao 11, 2013.

Vida Superior ou que retornam à esfera dos homens para a reencarnação retificadora[444] (grifo no original).

2.2 Campo da Paz

É um *Posto de Auxílio*, localizado em pleno Umbral que, segundo André Luiz, tem como missão receber "[...] grande número de Espíritos enfermos, mais desequilibrados que propriamente perversos. [...]"[445] São Espíritos ainda abalados pelo choque da morte física, pelo apego relativo a pessoas e bens deixados no plano físico. Neste Posto, os desencarnados são recebidos, tratados, reajustados e, depois, encaminhados a outros planos, ou são encaminhados à reencarnação.

Como vemos, os exemplos da prática do bem não faltam e servem de roteiro de vida para todos nós, Espíritos imperfeitos. Neste sentido, estejamos atentos à previsão do Espírito São Luís, citada em *O livro dos espíritos*, questão 1019:

> O bem reinará na Terra quando, entre os Espíritos que a vêm habitar, os bons predominarem, porque, então, farão que aí reinem o amor e a justiça, fonte do bem e da felicidade. É pelo progresso moral e pela prática das Leis de Deus que o homem atrairá para a Terra os Espíritos bons e dela afastará os maus. [...][446]

---

444 XAVIER, Francisco Cândido. *Ação e reação*. Cap. 1, p. 12., 2013.
445 Id. *Os mensageiros*. Cap. 21, p. 131, 2013.
446 KARDEC, Allan. *O livro dos espíritos*. Q. 1019, p. 446, 2013.

ATIVIDADE PRÁTICA 5: PERCEPÇÃO ESPIRITUAL — OUVINDO OS SONS DA NATUREZA

Objetivo do exercício

> Possibilitar condições para captar boas percepções espirituais, estimuladas pela audição de sons da natureza.

Sugestões ao monitor

1. Propor aos participantes o seguinte exercício:
   - Com os olhos fechados, ouvir sons da natureza, gravados em um cd, procurando manter-se envolvido nas harmônicas vibrações sonoras.
   - Procurar captar ideias, sentimentos ou imagens despertadas durante a audição.

   Atenção: o exercício é muito simples e deve ser realizado em curto espaço de tempo. É importante ter cuidado para não sugerir, direta ou indiretamente, qualquer indução ao transe, que, em hipótese alguma, *não* é a finalidade do exercício.

2. Concluído o exercício, ouvir relatos dos participantes e comentar a respeito das percepções por eles captadas.

3. Pedir a um participante que profira a prece de encerramento da reunião.

REFERÊNCIAS

1   KARDEC, Allan. *O livro dos espíritos*. Trad. Evandro Noleto Bezerra. 4. ed. 1. imp. Brasília: FEB, 2013.

2   PEREIRA, Yvonne do Amaral. *Devassando o invisível*. 15. ed. 1. imp. Brasília: FEB, 2013.

3   XAVIER, Francisco Cândido. *Ação e reação*. Pelo Espírito André Luiz. 30. ed. 1. imp. Brasília: FEB, 2013.

4   _____. Entre *a Terra e o Céu*. Pelo Espírito André Luiz 27. ed. 1. imp. Brasília: FEB, 2013.

5   _____. *Libertação*. Pelo Espírito André Luiz. 33. ed. 1. imp. Brasília: FEB, 2013.

6   _____. *Nosso Lar*. Pelo Espírito André Luiz. 61. ed. 1. reimp. Rio de Janeiro: FEB, 2010.

7   _____. *Os mensageiros*. Pelo Espírito André Luiz. 47. ed.1. imp. Brasília: FEB, 2013.

PROGRAMA I – MÓDULO IV

ATIVIDADE COMPLEMENTAR DO MÓDULO

Seminário: A morte e o morrer

Esta última atividade complementar e optativa encerra o Módulo IV e o Programa I do curso.

A realização deste seminário deve conduzir às seguintes reflexões:

- A importância de se preparar para suportar e superar o momento da desencarnação com serenidade.

- Necessidade de investir no desenvolvimento de virtudes, trabalhando pontos obscuros da personalidade (más inclinações), com perseverança, a fim de garantir melhores condições de vida no plano extrafísico e nas futuras reencarnações.

- Informar-se a respeito das etapas da morte do corpo físico, segundo a orientação espírita e a proposta da Ciência.

- Ampliar o entendimento a respeito das provações e das expiações, à luz do Espiritismo, conscientizando-se a respeito do poder educativo com que se expressam.

Por se tratar de um assunto de interesse geral, sugere-se que o seminário seja direcionado a todos os trabalhadores da Casa Espírita, não apenas aos participantes do curso da mediunidade.

Sugestão de Referências Bibliográficas

1. KARDEC, Allan: *O livro dos espíritos*. Segundo livro, capítulo III; Quarto livro, capítulo II. FEB.

2. _____. *O céu e o inferno*. Primeira parte, cap. I, II e VII. Pt. 2, cap. I. FEB.

3. XAVIER, Francisco Cândido. *Voltei,* pelo Espírito Irmão Jacob. *Justiça divina,* pelo Espírito Emmanuel. Série André Luiz: *A Vida no Mundo Espiritual,* obras citadas no módulo. FEB.

4. ANDRADE, Hernani Guimarães de. *Morte:* Uma luz no fim do túnel. FE — Editora Jornalista Espírita.

5. KÜBLER-ROSS, Elisabeth. *Sobre a morte e o morrer.* Martins Fontes.

PROGRAMA I – MÓDULO IV

ATIVIDADE COMPLEMENTAR DO MÓDULO

CLUBE DE LEITURA

Trata-se de uma atividade desenvolvida pelos participantes inscritos no curso de Mediunidade, realizada sob supervisão do monitor da turma. Não é uma atividade obrigatória, ainda que seja importante desenvolver o hábito de leituras sérias e refletir a respeito.

Objetivos

- Ampliar o conhecimento de assuntos estudados no Módulo.
- Estimular o hábito de leitura de obras sérias relacionadas ao tema mediunidade.

Sugestão de como realizar a atividade (lembretes):

1. Ver instruções no Módulo I — Clube de Leitura.
2. A(s) obra(s) selecionada(s) deve(m) guardar relação com os assuntos estudados no Programa I do curso, priorizando-se temas que mais suscitaram dúvidas.
3. Sugerimos a seleção de uma ou duas obras indicadas nas Referências de cada tema estudado neste Módulo IV.
4. As atividades de preparação e apresentação do resumo de cada obra devem seguir as informações contidas na Ficha de Leitura (Módulo I) e devem ser realizadas sob acompanhamento do monitor do curso.

| MEDIUNIDADE - ESTUDO E PRÁTICA |||||
| Programa I |||||
EDIÇÃO	IMPRESSÃO	ANO	TIRAGEM	FORMATO
1	1	2013	10.000	18x25
2	1	2014	5.000	17x25
2	2	2015	3.000	17x25
2	3	2015	2.500	17x25
2	4	2015	4.500	17x25
2	5	2016	6.000	17x25
2	6	2017	4.500	17x25
2	7	2017	4.500	17x25
2	8	2018	5.500	17x25
2	9	2018	2.000	17x25
2	10	2018	2.500	17X25
2	11	2019	2.000	17X25
2	12	2019	3.000	17X25
2	13	2021	5.000	17x25
2	14	2022	3.000	17x25
2	15	2023	2.500	17x25
2	16	2023	3.000	17x25
2	17	2024	4.000	17x25
2	18	2024	4.300	17x25

O LIVRO ESPÍRITA

Cada livro edificante é porta libertadora.

O livro espírita, entretanto, emancipa a alma nos fundamentos da vida.

O livro científico livra da incultura; o livro espírita livra da crueldade, para que os louros intelectuais não se desregrem na delinquência.

O livro filosófico livra do preconceito; o livro espírita livra da divagação delirante, a fim de que a elucidação não se converta em palavras inúteis.

O livro piedoso livra do desespero; o livro espírita livra da superstição, para que a fé não se abastarde em fanatismo.

O livro jurídico livra da injustiça; o livro espírita livra da parcialidade, a fim de que o direito não se faça instrumento da opressão.

O livro técnico livra da insipiência; o livro espírita livra da vaidade, para que a especialização não seja manejada em prejuízo dos outros.

O livro de agricultura livra do primitivismo; o livro espírita livra da ambição desvairada, a fim de que o trabalho da gleba não se envileça.

O livro de regras sociais livra da rudeza de trato; o livro espírita livra da irresponsabilidade que, muitas vezes, transfigura o lar em atormentado reduto de sofrimento.

O livro de consolo livra da aflição; o livro espírita livra do êxtase inerte, para que o reconforto não se acomode em preguiça.

O livro de informações livra do atraso; o livro espírita livra do tempo perdido, a fim de que a hora vazia não nos arraste à queda em dívidas escabrosas.

Amparemos o livro respeitável, que é luz de hoje; no entanto, auxiliemos e divulguemos, quanto nos seja possível, o livro espírita, que é luz de hoje, amanhã e sempre.

O livro nobre livra da ignorância, mas o livro espírita livra da ignorância e livra do mal.

Emmanuel[1]

---

1 Página recebida pelo médium Francisco Cândido Xavier, em reunião pública da Comunhão Espírita Cristã, na noite de 25 de fevereiro de 1963, em Uberaba (MG), e transcrita em *Reformador*, abr. 1963, p. 9.

FEB editora
Livro espírita para um novo mundo
www.febeditora.com.br
@febeditoraoficial
@febeditora

Conselho Editorial:
Carlos Roberto Campetti
Cirne Ferreira de Araújo
Evandro Noleto Bezerra
Geraldo Campetti Sobrinho – Coord. Editorial
Jorge Godinho Barreto Nery – Presidente
Maria de Lourdes Pereira de Oliveira
Miriam Lúcia Herrera Masotti Dusi

Produção Editorial:
Elizabete de Jesus Moreira

Revisão:
Elizabete de Jesus Moreira

Projeto Gráfico e Diagramação:
Rones José Silvano de Lima – instagram.com/bookebooks_designer

Capa:
Evelyn Yuri Furuta

Foto de Capa:
http://www.shutterstock.com/DenisVrublevski

Normalização Técnica:
Biblioteca de Obras Raras e Documentos Patrimoniais do Livro

Esta edição foi impressa pela Viena Gráfica e Editora Ltda., Santa Cruz do Rio Pardo, SP, com tiragem de 4,3 mil exemplares, todos em formato fechado de 170x250 mm e com mancha de 130x208,5 mm. Os papéis utilizados foram Offset 63 g/m² para o miolo e o Cartão 250 g/m² para a capa. O texto principal foi composto em Minion Pro 12/15 e os títulos em Zurich Cn BT 22/26,4. Impresso no Brasil. *Presita en Brazilo.*